FILIPPO CERAGIOLI e ALDO MOLINO

Montagna nascosta

55 LUOGHI SEGRETI DA SCOPRIRE E VISITARE IN PIEMONTE

Edizioni del Capricorno è un marchio di
Centro Scientifico Arte s.r.l.
Edizioni del Capricorno
Corso Monte Cucco, 73
10141 Torino
Tel. 011 385.36.56
Fax 011 325.45.49
info@edizionidelcapricorno.com
www.edizionidelcapricorno.com
facebook.com/EdizionidelCapricorno

ISBN 978-88-7707-389-1

Coordinamento editoriale: Roberto Marro
Progetto grafico e impaginazione: Bruno Scrascia
Stampa: Stamperia Artistica Nazionale, Trofarello (TO)

SOMMARIO

Ringraziamenti
Si ringraziano per l'aiuto, le preziose informazioni e le visite tutte le guide turistiche volontarie e non, Claudio Luciano, Claudia Chiappino, Carlo Locca, Cesare Locca, Roberta Locca, Silvana Cortona, Rosa Maria Bonaffino, Nicoletta Popa.

Crediti Fotografici
Salvo dove altrimenti indicato in didascalia, le fotografie sono degli autori.

Introduzione

> «La geografia umana considera i *luoghi* come spazi emotivamente vissuti.»
> (Da Wikipedia)

55, un numero dalle molte singolarità (è palindromo, fa parte della serie di Fibonacci ecc.) per un viaggio nelle montagne del Piemonte. Su e giù per valli e colli per cercare e conoscere luoghi a volte non così spettacolari e che forse deluderanno il turista frettoloso, ma che non potranno fare a meno d'incuriosire e intrigare il viaggiatore. Si viaggia sempre di più per *qualche cosa*: per turismo, per affari, per sport e sempre di meno per *viaggiare*. Citando – forse a sproposito – il filosofo e antropologo francese Marc Augé (il teorico della *surmodernité*), oggi i più si spostano da un non-luogo a un altro nel modo più veloce possibile, inveendo contro ogni contrattempo e cercando una diversità che, però, non si vuole molto dissimile dalla propria quotidianità. Chi viaggia davvero, invece, guarda di più al percorso: oltre che al raggiungimento di una meta, cerca di rapportarsi in continuazione con il *diverso*, sia questo un paesaggio, una comunità o una situazione. Più che l'*arrivare* è importante l'*andare*.
Questi 55 luoghi sono nascosti, ma non sconosciuti: luoghi identitari per alcuni e con i quali potremmo familiarizzare, se ci accostiamo a essi arricchendoci con storie e vissuti di altri. Da Torino, pomposamente promossa a «città metropolitana», alzando gli occhi (cosa che si fa sempre più di rado), ovunque si scorge una cerchia di montagne. Ecco il Monte Rosa, il Rocciamelone, il Monviso, il Marguareis, le alte colline delle Langhe. Montagne da attraversare per raggiungere altre metropoli, con treni superveloci, aerei o con le scarpe rotte dei disperati in fuga da guerre e miseria*? Montagne luna park per divertimenti sempre più folli e tecnologici, come per esempio le tute alari con cui saltare dalle montagne. A pochi sembra che interessi conoscere queste montagne. Eppure quella barriera è molto più di uno spazio vuoto, fatto al massimo di pastorelle con la capra o di soggetti per calendari patinati, e punteggiato di non-luoghi. L'Italia un tempo finiva a ridosso di quei rilievi, e la cultura della montagna non è univoca ed è molto meno conservativa di quanto si pensi.

* I disperati sono gli immigrati clandestini che attraversano a piedi i passi alpini non controllati per raggiungere il Nord Europa.

«Montagne del Piemonte» significa antiche popolazioni come Celti, Liguri, Salassi, Longobardi, Goti e Franchi, ma anche le immigrazioni più recenti dei Walser, gli Alemanni vallesani, le colonie valdesi e genti che più che verso la pianura hanno guardato dall'altra parte. Occitani, provenzali alpini, neoliguri, lombardi. Santi, papi, guerrieri, re e regine hanno percorso le valli e lasciato i loro segni o ricordi leggendari. E oggi alcune zone si stanno arricchendo qua e là di persone che vengono da lontano, scacciate dalle guerre e dalla miseria oppure alla ricerca di una vita più in equilibrio con l'ambiente naturale.
Le montagne rappresentano quasi il 50% del territorio regionale e custodiscono un patrimonio infinito di beni storici, artistici e culturali. Sceglierne 55 ha significato in qualche modo scavare nella memoria delle nostre emozioni, attenti a rappresentare le realtà più significative e soprattutto a non privilegiare certi luoghi invece di altri. Ne è risultato un campionario fatto di ruderi di castelli, di chiese affrescate, di siti d'arte rupestre, di luoghi della storia e del lavoro e di musei, i piccoli musei che raccontano di un territorio e attorno ai quali le comunità s'interrogano sul loro passato e sul loro futuro. A saperle cercare, le sorprese non mancano. Anche i territori in apparenza più dimenticati non sono affatto così selvaggi come possono apparire. Nel corso della loro straordinaria avventura, gli uomini sono giunti pressoché dappertutto, anche nei valloni e sulle pendici più inospitali. I segni da loro lasciati nel corso dei secoli sono dappertutto: talvolta si evidenziano in modo clamoroso, in altri casi si celano dietro enigmi in apparenza insolubili. Cultura e ambiente, che dovrebbero essere le pietre miliari del nostro orizzonte esistenziale in quest'epoca di trasformazioni e di dubbi sulla sostenibilità del modo in cui viviamo, non sono certo al centro dell'interesse collettivo. Rinchiusi come siamo in una bolla che rischia di non avere un futuro, l'imperativo sembrerebbe essere solo quello di consumare di più. La consapevolezza che il domani possa passare attraverso la valorizzazione dell'immenso patrimonio del nostro Paese fatica a farsi strada. E più ci si allontana dal centro per andare verso la periferia e cioè, fuor di metafora, dai siti di rinomanza nazionale e internazionale a ciò che è considerato minore sul piano artistico e turistico, le possibilità di fruizione diventano più aleatorie. Purtroppo ne consegue che le indicazioni che diamo al visitatore su modalità e orari sono a volte lacunose e incerte. Pochi sono i luoghi che godono il privilegio di essere garantiti. I piccoli musei e le piccole chiese, anche se scrigni d'arte, sono spesso resi accessibili solo grazie al lavoro dei volontari, per lo più nei fine-settimana e nei mesi estivi. Le spese per riscaldare i locali d'inverno sono quasi sempre insoste-

nibili: a chi vive in città potrà sembrare un fattore secondario, ma è proprio così. Non sempre, però, questo impegno è sufficiente per garantirne l'accessibilità. E non sempre da una stagione all'altra c'è la certezza che gli stessi luoghi siano praticabili. Di tutto questo ci scusiamo in anticipo. Ma i contesti sono talvolta così straordinari da compensare le possibili delusioni.

Se i luoghi hanno un'anima, in molti casi per entrare in contatto con essi niente è di aiuto come un bicchiere di vino, che racchiude in sé gli umori e i sapori di quella terra. La viticoltura piemontese nella seconda metà del Novecento ha abbandonato le alte quote per concentrarsi nei territori in apparenza più vocati, ma negli ultimi anni è in atto una sia pur modesta inversione di tendenza. Grazie alla maggiore attenzione ai prodotti del territorio e alle tecniche enologiche, che permettono di ottenere buoni vini da uve con le quali un tempo si producevano solo vinelli acidi e a bassa gradazione, una viticoltura di qualità sta ritornando in alcune vallate alpine. I nostri percorsi di visita possono quindi avere spesso come corollario il piacere di scoprire prodotti di nicchia quasi sconosciuti, che hanno rischiato di essere dimenticati per sempre. Ecco allora attorno al castello di Castellar le vigne di Pelaverga, uva ricercata sul mercato di Saluzzo nel Medioevo, il cui vino era apprezzato da papi e abbienti nobiluomini. E di fronte a San Mauro (Almese) le viti del misterioso Baratuciat, un bianco che sembrava andato perduto. A Dronero è d'obbligo assaggiare l'antico *Drôné*, un nebbiolo che niente ha a che fare con i più noti vini delle Langhe. Che dire anche del Bramaterra, che alligna tra i boschi prealpini biellesi, o del Prünent ossolano, sostenuto da una viticoltura eroica che riporta ai tempi del megalitismo? Nell'alta valle della Dora i *tupiun* del nebbiolo – le tradizionali pergole sostenute da alte colonne in pietra – disegnano un panorama straordinario e in val Germanasca i filari del Ramìe sembrano sfidare la montagna. E chi potrebbe immaginare che l'Ormeasco, il pregiato vino della valle Arroscia che fa la gioia dei buongustai nei ristoranti della riviera di Ponente, sia originario dei vigneti che si trovavano un tempo (un piccolo reimpianto per una piccolissima produzione è stato fatto in anni recenti) proprio di fronte alla torre dei saraceni della frazione Barchi di Ormea? Ancora, non possiamo dimenticare un altro interessantissimo ritorno, quello del Timorasso, un bianco da invecchiamento della sperduta val Curone. Insomma, un assaggio del buon vino di un certo territorio vi aiuterà di sicuro ad apprezzarne meglio anche l'arte e la cultura!

Filippo Ceragioli e Aldo Molino

ARCHEOLOGIA

- Il Guardamonte • Boira Fusca e il museo Archeologico di Cuorgnè
- La necropoli e il museo Archeologico di Valdieri (Museo del Territorio)
- San Giovanni in Montorfano

Il Guardamonte

● UN SITO ARCHEOLOGICO DEGLI ANTICHI LIGURI

Dove: il Guardamonte (cascina Guardamonte), Gremiasco (AL); il museo Archeologico di Casteggio è situato in palazzo Certosa Cantù, via Circonvallazione Cantù, Casteggio (PV), tel. 0383 83941.
Accessibilità: libera. Breve passeggiata su sentieri segnati con partenza dall'omonima cascina.

La val Curone, nell'Alessandrino, è la più orientale delle valli del Piemonte, in pieno dominio appenninico. Lungo il crinale est corre il confine con la Lombardia e la valle dello Staffora. Il paesaggio è atipico, fatto di colline e montagne arrotondate, ma incise qua e là dà ampi calanchi dove frequenti sono gli affioramenti fossiliferi. Su uno di questi montarozzi, il monte Vallassa, a metà del secolo scorso è stato identificato un importante insediamento umano occupato pressoché senza interruzioni dall'epoca neolitica (V millennio a.C.) sino ai primi secoli dell'impero romano (I-II secolo d.C.). Il sito archeologico, tutt'ora poco conosciuto, è situato nel territorio dei Comuni di Gremiasco, Cecima e Ponte Nizza. Lo si raggiunge da San Sebastiano Curone seguendo la stradina che si arrampica sino alla cascina (agriturismo) Guardamonte, dove si parcheggia. L'area archeologica si trova sulla montagna sovrastante, caratterizzata da una fascia di rocce conglomeratiche tagliata da un cengione. Anche se non molto noto, il Guardamonte è considerato di grande valore archeologico, oltretutto situato in un contesto di grande bellezza paesaggistica. L'area archeologica è stata oggetto dei primi scavi, svolti sotto la direzione di Felice Gino Lo Porto, a metà del secolo scorso. L'attuale fase di studio è cominciata invece nel 1995 a opera dell'Università degli Studi di Milano, sotto la direzione di Cristina Chiaramonte Treré e Giorgio Baratti.
Per raggiungere il monte Vallassa si deve seguire la pista che prosegue oltre la fontanella e, al primo bivio, tenere la destra. Poco

Panorama sulla valle dalla cengia del Guardamonte.

più avanti si lascia il sentiero (che prosegue in piano) per un altro, in salita, ancora sulla destra. Giunti sulla displuviale si svolta ancora a destra salendo verso la sommità del colle. Una prima breve digressione conduce alla parete rocciosa dove si apre una grotta, la cui esplorazione rivelò la presenza di reperti archeologici e innescò l'inizio delle ricerche. Continuando in salita si giunge a uno slargo con panchina; a sinistra, scendendo per breve tratto e poi andando verso destra, si va all'area della fornace, dove gli scavi hanno evidenziato la presenza di un atelier per la lavorazione della ceramica. Si tratta di una fornace a doppia camera orizzontale (IV-III secolo a.C.) che presenta un'interessante struttura, perché suddivisa in una camera di combustione e in una camera di cottura, tenute separate in modo che si potesse controllare la temperatura. A seguito del rinvenimento gli archeologi hanno studiato le tecniche di costruzione di questo tipo di fornaci e quelle di lavorazione e di cottura della ceramica. La fornace, ricostruita nel 2012, si trova proprio sopra il punto del ritrovamento.

I calanchi di erosione che caratterizzano quest'area appenninica.
A sinistra, particolari del sito archeologico.

Proseguendo a destra si guadagna invece la sommità del colle, dove alcuni pannelli illustrano le caratteristiche degli scavi effettuati e dei ritrovamenti. È stato appurato che fin dal V millennio a.C. fosse chiara l'importanza strategica del sito, posto su uno dei percorsi che, attraverso la pianura Padana, mettevano in comunicazione la Liguria occidentale, l'Italia tirrenica e l'Appennino emiliano con l'Europa centrosettentrionale. Più tardi il luogo fu terrazzato e occupato da un importante castelliere, abitato da genti liguri a partire dal XIV secolo a.C. e fino all'epoca romana, e mantenne la sua rilevanza. Quanto emerso al Guardamonte ha stimolato un interessante indirizzo di ricerca, quello dell'analisi delle antiche vie di comunicazione e commercio. La visita potrebbe essere un po' deludente, perché non c'è molto da vedere (qualche muraglia, la fornace ricostruita e poco altro); però c'è molto da immaginare e il posto è molto bello. I reperti del Guardamonte sono conservati nel museo di Antichità di Torino e nel museo Archeologico di Casteggio.Il santuario apre tutti gli anni la domenica di Pasqua e accoglie i fedeli fino alla fine di ottobre per la messa vespertina domenicale. In primavera è meta di processioni da molti dei paesi limitrofi, mentre la festa principale è celebrata l'8 settembre (Natività della Vergine).

Per saperne di più: Gabriella Pantò (a cura di), *Archeologia nella valle del Curone*, Edizioni dell'Orso, Alessandria 1993.

Boira Fusca e il museo Archeologico di Cuorgnè

● 15.000 ANNI DI FREQUENTAZIONE UMANA IN VALLE ORCO

Dove: museo Archeologico del Canavese, via Ivrea, 100 (c/o ex manifattura, secondo piano), Cuorgnè (TO).
Accessibilità: orario di apertura lunedì-venerdì dalle 9 alle 17. Il museo organizza visite guidate a Boira Fusca. Informazioni e prenotazioni: tel. 0124 651799, info@cesmaonline.org.

La Boira Fusca (cioè «grotta buia» nella parlata canavesana) è una grotticella situata sulla rupe di Salto, all'imbocco della valle dell'Orco, nel Comune di Cuorgnè. L'accesso all'area è libero (sentierino segnalato) ma per visitare l'interno della grotta, chiuso da una cancellata, è necessario prenotare visite di gruppo presso l'ente gestore, cioè il museo Archeologico del Canavese. La Boira fu in un primo tempo esplorata da gruppi archeologici locali ed è stata esaminata in maniera scientifica sul finire degli anni Settanta del Novecento dall'*équipe* del professor Francesco Fedele, restituendo numerosi e interessanti reperti archeologici. Anche l'area in prossimità del sito è stata risistemata e resa fruibile al pubblico, e nuovi reperti continuano di tanto in tanto a venire alla luce. La grotta si è rivelata uno dei siti archeologici più significativi del Canavese. In origine era un riparo temporaneo di cacciatori epipaleolitici; ha poi ospitato una piccola comunità neolitica prima di diventare una necropoli. I materiali provenienti dallo scavo sono ora esposti nel museo Archeologico del Canavese, ubicato nella grande ex manifattura tessile di Cuorgnè, testimonianza monumentale di archeologia

Stele funerarie romane nel museo di Cuorgnè e la vista interna di una delle grotticelle.

industriale per ora solo in parte riattata e riutilizzata. Il museo è di moderna concezione e sfrutta tecnologie all'avanguardia. Conta otto sale, ciascuna dedicata a un preciso periodo storico, dal paleolitico al Medioevo, dall'uomo di Neanderthal a re Arduino: 150 secoli di presenza umana in Canavese che l'archeologia ha documentato. I reperti più interessanti (oltre a quelli di Boira Fusca) sono il masso inciso di Navetta, che dopo aver a lungo soggiornato nel cortile del municipio è stato trasportato qui, e le stele di Tina (Vestignè): questi reperti rappresentano un tassello di quel fenomeno megalitico delle statue-stele diffuso in tutta Europa, dalla Crimea al Portogallo, il cui reale significato non ha ancora avuto risposte soddisfacenti. Con lo stesso biglietto si può anche visitare il museo dedicato a Carlin Bergoglio, cofondatore di *Tuttosport*, vignettista e pittore.

Per saperne di più: Marco Cima, *L'uomo antico in Canavese. Preistoria e protostoria nel Piemonte Nord Occidentale*, Nautilus edizioni, Torino 2003.

Interni del museo e, a sinistra, la riproduzione di una cosiddetta Venere neolitica.

La necropoli e il Museo Archeologico di Valdieri (Museo del Territorio)

● PRESENZE UMANE NELLA MEDIA VALLE DEL GESSO TRA TARDA ETÀ DEL BRONZO E DEL FERRO ANTICO

Dove: piazza della Resistenza, 28 (mostra permanente), via della Guardia alla Frontiera, Valdieri (CN).
Accessibilità: il sito e l'area archeologica sono ad accesso libero, per la mostra contattare il Comune di Valdieri (tel. 0171 97109, valdieri@ruparpiemonte.it) o il parco naturale delle Alpi Marittime (tel. 0171 97397, info@parcoalpimarittime.it).

A metà degli anni Ottanta del secolo scorso, in seguito ai lavori di allargamento della strada vicinale delle Rive, la vecchia via che conduce a Valdieri, vennero alla luce reperti fittili che segnalarono un sito di rilevanza archeologica. Valutata la sua importanza, la Soprintendenza Archeologica del Piemonte avviò una campagna di scavo su una superficie di 6000 metri quadrati, che si protrasse per tutti gli anni Novanta e che riportò alla luce una necropoli collocabile tra la tarda età del bronzo e quella del ferro antico. Terminati gli scavi nel 2008, la zona è stata sistemata come area archeologica attrezzata, protetta da coperture e dotata di pannelli e animazioni che ne illustrano le specificità, in particolare a favore delle scolaresche.
In quella che era casa Lovera, appartenuta a una delle famiglie più note di Valdieri, è stata allestita la mostra *Ai piedi delle montagne*, divenuta poi esposizione permanente, dove si possono ammirare i principali reperti emersi dagli scavi e restaurati. Nel 2013 è stato inaugurato il parco archeologico, dove si trova la ricostruzione di una capanna antica con tetto in paglia. La realizzazione della copertura (in paglia di segale) è opera di maestranze locali e dell'ecomuseo della Segale, che si prefigge di recuperare e conservare i saperi relativi a questo cereale, l'unico legato al mondo alpino e che in passato ha avuto una grande importanza anche per questa valle. L'ecomuseo ha sede nella frazione Sant'Anna, dove si trova un centro espositivo che offre anche una panoramica sulla tipologia delle coperture in paglia nell'ambito delle montagne europee.
Gli scavi hanno riportato alla luce un complesso sepolcrale caratterizzato da almeno due fasi distinte di utilizzo. Sono state individuate dodici tombe, tra cui un *cenotafio*, termine derivato dal greco che significa «tomba vuota»; si tratta di un sepolcro privo del defunto, realizzato per assicurare una dimora all'anima dello stesso, magari rimasto privo di sepoltura, o per ricordare qualcuno morto oppure sepolto altrove. Oltre alle tombe, vi sono altre tre strutture rituali. All'estremità settentrionale del sito è venuta anche

La capanna preistorica ricostruita e una delle sale dell'Ecomuseo della Segale a Sant'Anna.

alla luce una fossa circolare contenente un grosso masso infisso in posizione quasi verticale, emergente per metà dell'altezza al di sopra del piano antico di calpestio, interpretato dagli archeologi come segnacolo funerario.

Come detto sopra, nella necropoli si distinguono almeno due periodi di utilizzo. All'età del bronzo risalgono le prime tombe e le fosse rituali; qualche secolo dopo venne realizzata la «struttura monumentale». Questo nuovo complesso funerario fu organizzato a partire da un ambiente centrale di probabile forma rettangolare, e intorno a esso vennero collocati recinti quadrangolari, delimitati da bassi muretti a secco con sepolture con tumulo terragno (che si possono vedere sotto la copertura protettiva). Tutte le tombe sono a cremazione: quelle più antiche con l'urna contenente i resti ossei del defunto posta sopra una lastra di pietra e gli elementi del corredo all'interno di pozzetti scavati nel terreno. È possibile che sia stata l'abbondanza di legname adatto al rito incineratorio a far scegliere questo luogo come area funeraria. Finora, nonostante le ricerche, non è stato possibile stabilire dove si trovasse il villaggio a cui la necropoli era riferita. Purtroppo, parte del sito è stato anche asportato da una delle piene del torrente Gesso che, scorrendo alla base della scarpata, ha fatto franare parte del terrazzo sovrastante. Gli archeologi non sono riusciti a provare la continuità dell'utilizzo dell'area funeraria nella prima età del ferro. Un'interessante osservazione la si può leggere nel pieghevole in distribuzione al museo:

> Circa novecento anni separano le sepolture più antiche risalenti all'età del Bronzo (1350-1200 a.C.) dalle ultime, databili all'età del Ferro (625-475 a.C. circa). Il numero piuttosto limitato delle deposizioni e la presenza di sepolture infantili sembrano indicare che questo sepolcreto fosse destinato a personaggi che in vita avevano svolto un ruolo particolare all'interno della comunità, forse legato alla sfera del sacro.

A casa Lovera, nel sito espositivo, è conservato un interessante segnacolo ritrovato ancora *in situ*. All'interno delle vetrine vi sono i

Un'urna cineraria, una delle tombe della necropoli, fibule e frammenti di ornamenti.

reperti più interessanti: frammenti di tòrque (un collare o un bracciale) e un ago in osso a base appiattita e perforata, relativi all'età del bronzo; le urne cinerarie (alcune delle quali rinvenute pressoché integre), le armille di bronzo del tipo «Crissolo», gli anelli a globetti, gli spilloni e le fibule a navicella riferibili, invece, all'età del ferro.

Per saperne di più: Marica Venturino Gambari (a cura di), *Ai piedi delle montagne, la necropoli protostorica di Valdieri*, LineLab edizioni, Alessandria 2008.

San Giovanni in Montorfano

● UNA CHIESA ROMANICA TRA LE PIÙ ANTICHE DEL VERBANO

Dove: la chiesa è in frazione Montorfano; l'*antiquarium* si trova presso il civico museo Archeologico, via Roma, 8, Mergozzo (VB).
Accessibilità: libera alla chiesa, il museo è aperto da marzo a ottobre il sabato e la domenica dalle 15 alle 18; a luglio e ad agosto è aperto tutti giorni, tranne il lunedì, dalle 15 alle 18; in altri giorni e orari apertura su richiesta per scolaresche e gruppi. Informazioni: tel. 0323 670731, museomergozzo@tiscali.it o tel. 0323 80101 (Comune di Mergozzo).

> «Dirò ancora come sopra il Monte Orfano v'è una Villetta de dodici fuochi, dove si vede una chiesa antichissima di S.Gio.Battista, la qual fu fatta fino al tempo degli Apostoli.»
> (Paolo Morigia, *Historia della nobiltà, et degne qualità del Lago Maggiore*, Milano 1603)

San Giovanni è uno dei più antichi edifici di culto cristiano nel Verbano, situato in un suggestivo villaggio dove la pietra è sovrana e dove si respira aria di Medioevo, abbarbicato su quello scoglio isolato di granito che è il monte Orfano, tra il lago Maggiore e il fiume Toce. Più su pare ci fosse un castello (i cui ruderi erano ancora visibili nel 1603) e che in un'epoca imprecisata vi si trovasse anche un convento. Avendo tempo, la salita in cima alla montagna, seguendo la mulattiera che inizia appena prima dell'edificio sacro, garantisce uno straordinario panorama sui laghi.
La chiesa presenta diverse anomalie, come la pianta, che si discosta da quella che si ripete in tutte le altre antiche chiese ossolane, non riprendendo né il modello a navata unica né quello basilicale. Si tratta invece di una pianta a «T», con tiburio ottagonale. Notevoli sono anche le numerose mensole, rare nell'Italia settentrionale,

Il sobrio interno della chiesa e la facciata romanica.

che sorreggono parti della volta. La facciata, si legge nel dépliant illustrativo,

> è estremamente semplice ma quello che colpisce è l'armonia dell'insieme e delle decorazioni, che mostrano un modulo decorativo degli archetti intrecciati che si anima nella finta galleria formata da dodici fornici sostenuti da sottili colonne con capitelli variamente modellati. Due ampie monofore con archivolto formato da un unico blocco di pietra si aprono sotto il loggiato. Vale la pena di soffermarsi sull'apparato scultoreo che abbellisce le mensole e i peducci degli archetti e sulle altre strutture dell'edificio: un vero e proprio campionario dei motivi decorativi medievali.

Nell'abside in pietra a vista, ripulita durante i restauri da tutti gli orpelli successivi, si conservano l'altare con paliotto in scagliola dipinta datato 1724 e l'ancona seicentesca con un dipinto di Luigi Reali che raffigura la Madonna con Bambino tra i santi Giovanni Battista e Rocco. Le ricerche archeologiche svolte all'interno della chiesa hanno portato all'individuazione di strutture preromaniche relative a un battistero paleocristiano con aula rettangolare absidata e una vasca battesimale di forma circolare all'interno e ottagonale all'esterno, che è stata lasciata a vista al centro del pavimento. Questo fonte battesimale è stato più volte rimaneggiato per adattarlo all'evolversi del rito, che nei primi secoli del Cristianesimo prevedeva dapprima l'immersione totale dei battezzandi, poi quella parziale. Secondo gli studiosi la datazione della vasca risalirebbe al V-VI secolo. Anche l'area esterna su cui sorge la chiesa, tra il 1970 e il 1984, è stata oggetto di campagne di scavo. Sono stati riportati alla luce reperti di età romana e imperiale, numerose tombe medievali nonché le fondamenta di una chiesa romanica triabsidata riconducibile a un probabile insediamento longobardo e databile tra la fine dell'VIII e l'inizio del IX secolo. Si suppone che questo edificio sia stato eretto in sostituzione del precedente, troppo angusto, i cui resti sono nella chiesa attuale. Nella storia, San Giovanni sembrerebbe entrare con la pergamena dell'885 con cui Reginaldo da Pombia dona alla cattedrale di Novara un uliveto di sua proprietà sito in «loco et fundo muregocio» presso alla «terra sancti Iohannis».

I reperti provenienti dagli scavi di Montorfano si possono vedere nell'*antiquarium* di Mergozzo.
Il museo è stato inaugurato nel 2004 ed è articolato in due sezioni: una dedicata al mondo della lavorazione della pietra, che in questa zona ha nel granito locale e nel marmo di Candoglia due eccellen-

Il fonte battesimale e, a sinistra, pala di altare. In basso, le fondazioni carolinge.

ze storiche, l'altra più propriamente archeologica. In quest'ultima sono esposti, oltre ai ritrovamenti di Montorfano, anche i reperti provenienti dagli scavi condotti nelle necropoli della Cappella, di Praviaccio, di Carcegna, insieme ad altre testimonianze preistoriche dell'Ossola e del Verbano.

STORIE DI PIETRA

• Croppolo e Castelluccio • Roccio Clapier, le fortificazioni di Laz Arà e Roccho Vélho • Il Ròch dij Gieugh • Il *sol invictus* a Briaglia • La Ròca Furà • Roccerè, la montagna delle coppelle

Croppolo e Castelluccio

● I MISTERIOSI MEGALITI DI MONTECRESTESE

Dove: contrade Croppolo e Castelluccio, Comune di Montecrestese (VB).
Accessibilità: libera. Un percorso segnalato conduce dal santuario della Madonna di Viganale o dalla borgata Chiesa ai siti megalitici (1 h in tutto).

I *megaliti*, in senso stretto, sono le strutture erette con grandi pietre facenti parte di quella manifestazione architettonica che interessò l'Europa a partire dal IV millennio a.C. e che ci ha lasciato dolmen, menhir e circoli di pietra nonché tumuli, santuari come Stonehenge e i templi maltesi, mura e portali ciclopici. Per estensione, in questo termine vengono compresi tutti quei manufatti che assomigliano a quelle opere. Poiché la preistoria affascina più dell'altro ieri, ecco allora la tentazione di attribuire questo o quel manufatto a civiltà nascoste delle epoche più remote. In realtà, le pietre sono senza tempo e per ora, in assenza di altri strumenti diagnostici che non siano quelli della ricerca archeologica, è sempre molto difficile datarle a un'epoca piuttosto che a un'altra.

Montecrestese è l'ultimo paese ossolano, situato dove i torrenti Isorno, Melezzo e Diveria s'incontrano per confluire nel Toce. Terra di pietra, di pascoli, ma anche di vigne oggi quasi scomparse,

Il pilone del Cane e menhir a Croppolo.

eppure un tempo ben curate. A Montecrestese si trovano due interessanti siti megalitici, quello di Castelluccio e quello di Croppolo. Si tratta di complessi litici caratterizzati dalla presenza di menhir e da camere ipogee analoghe a quelle di Varchignoli (Villadossola). Nella zona, poi, non mancano neppure i massi istoriati con incisioni coppelliformi. La domanda che gli studiosi si sono posti è se le camere servissero da abitazioni, ricoveri o sepolture o, più prosaicamente, fossero un elemento architettonico di sostegno dei terrazzamenti coltivati soprastanti. I monoliti, in alcuni casi, hanno forma molto simile alle lastre di sostegno dei filari di vite e le vicine terrazze testimoniano dello sfruttamento agricolo del suolo.

Camera sottofascia e menhir a Castelluccio.

Se antichi, questi menhir erano punti di riferimento, luoghi di culto o segnacoli di sepolture? Era questo un sito di osservazione astronomica, come alcuni studi hanno ipotizzato riconoscendo la presenza di linee legate a un orientamento solstiziale? Sono domande per ora senza risposta: in altre parti d'Europa il carattere funerario degli allineamenti di pietre è stato accertato; qui, invece, pur essendo state svolte indagini approfondite a cura dell'Università di Roma e della Soprintendenza piemontese, non sono stati trovati elementi archeologici utili a spiegarne la funzione.

Il sito di Castelluccio costituisce un'interessante testimonianza, poiché è possibile osservare la simultanea presenza delle varie tipologie di strutture megalitiche finora documentate in Ossola in una stessa area. Il complesso è costituito da una lunga camera rettangolare con copertura a falsa volta in lastroni inserita in un terrazzamento. Sul piano superiore, inoltre, si alzano 10 menhir; di alcuni resta solo la parte inferiore e sono situati lungo la fronte del muraglione, gli altri sono disposti in semicerchio. L'insieme forma una semiellisse, con 5 monoliti collocati lungo il raggio maggiore e gli altri lungo il perimetro, asimmetrici rispetto alla camera sottostante. Le dimensioni e le forme dei pietroni sono diverse: alcuni sono piramidali, altri a lastra con o senza incavi alla sommità. Proseguendo verso il basso, si giunge a un gruppo di case semidiroccate dove si può vedere un masso coppellato.

Il complesso di Croppolo è analogo a quello di Castelluccio: comprende una camera a pianta ellittica inserita nel terrazzamento, costruita con blocchi disposti in file regolari. Nello spessore interno dei muri si notano tre nicchie, mentre a destra dell'entrata un blocco litico ha funzione di sedile. Davanti al muraglione si trova inoltre un gruppo di menhir con un grosso masso posto in orizzontale in posizione dominante, diversi monoliti ancora ritti e altri che giacciono a terra (alcuni di questi sono ridotti in frammenti). Sembrano disposti su due file parallele con orientamento nord-sud ma, in origine, potrebbero anche aver formato un cerchio intorno al masso orizzontale.
Montecrestese è il più esteso Comune dell'Ossola. Comprende numerose frazioni, dal fondovalle si estende sulle pendici e i contrafforti montani esposti a occidente; il suo è anche il territorio che conserva il maggior numero di siti storici di tutta la vallata. I più antichi ritrovamenti archeologici datati con sicurezza risalgono all'età del ferro (V secolo a.C.) e sono rappresentati dagli oggetti relativi a un corredo funerario rinvenuti in località Burella.
Nella frazione Roldo si trova, in perfetto stato di conservazione, un tempietto risalente al I secolo d.C. Restaurato di recente, fu costruito sopra le rovine di un precedente luogo di culto celtico. È stato notato che da una piccola apertura rivolta a sud, nei giorni del solstizio d'estate, un raggio di sole penetra all'interno dell'edificio e illumina un punto preciso, a testimonianza forse di antichi riti volti a favorire la prosperità. Notevole, in frazione Chiesa, è la chiesa romanica antistante il campanile, che con i suoi 60 metri è il più alto dell'Ossola.

Roccio Clapier, le fortificazioni di Laz Arà e Roccho Vélho

● ANTICHE MAPPE LITICHE E UN CAMPO FORTIFICATO NEL VALLONE DEL RISAGLIARDO

Dove: pendici della rocca Renier (Roccio Clapier), pressi del colle Laz Arà (Roccho Vélho e campo fortificato), Pramollo (TO).
Accessibilità: libera. Roccio Clapier si raggiunge con un sentiero segnato in circa mezz'ora di cammino dalla borgata Sapiatti (1174 m). Dopo l'ultima casa s'imbocca il sentiero (cartello in legno) che scende sulla sinistra nel bosco, supera un modesto rio e continua risalendo poi alla roccia (1215 m). Per Roccho Vélho, invece, si segue il sentiero segnato che attraversa la strada sterrata poco prima di giungere al colle verso il basso. Attraversato l'ampio pascolo, si supera un passaggio tra le lastre conficcate a separare il prato dal bosco e, pochi metri più in basso, si trova il pannello che lo descrive. Una traccia di sentiero conduce al masso.

Quella di Pramollo è un'appartata valle laterale della val Chisone, in cui confluisce all'altezza di San Germano. Antico insediamento valdese, Pramollo è ancora oggi luogo di riformati: da vedere sono il tempio e il piccolo museo dei Pellenchi, che si trova in un'antica scuola Beckwith.

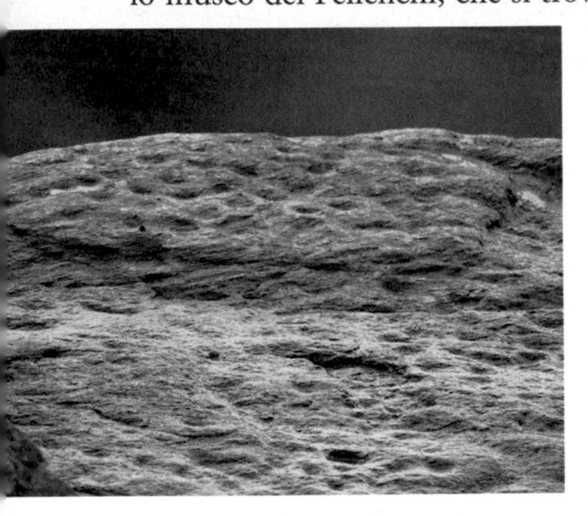

Nel vallone si trovano numerose rocce istoriate (soprattutto con coppelle), ma le più significative sono Roccio Clapier e Roccho Vélho.
L'affioramento roccioso di Roccio Clapier fa parte di una serie di bancate che caratterizzano le pendici della rocca Renier, dove in passato si trovavano anche cave di pietra. Altre rocce della zona ospitano incisioni, non però così numerose come quelle sulla superficie sommitale di questo masso, che è tutta occupata da istoriazioni. Delle 879 censite in zona, l'89% si trova qui: si tratta di centinaia di piccole coppelle poco profonde e molto abrase, di altre più grandi e ben evidenti, di croci e di altri simboli. Come sempre, sono state proposte molte interpretazioni: una delle più convincenti è quella di Cesare Borgna che, facendo un confronto con le mappe litiche esistenti a Bedolina (in val Camonica), ha ipotizzato trattarsi di una rappresentazione dei territori circostanti con l'indicazione delle aree boschive e delle principali sorgenti. Pramollo è assai ricca di acque (come lo stesso toponimo

Roccio Clapier e, a sinistra, un particolare della superficie coppellata di Roccio Clapier.

lascia intendere) e una fresca sorgente si trova proprio ai piedi della roccia. Roccio Clapier è comunque un luogo molto suggestivo, la cui sommità si protende sul vuoto come un trampolino e il cui profilo, che assomiglia al becco di un rapace o al muso di una marmotta, è ben visibile da tutte le borgate. Una cavità, naturale in questo caso, che si trova su una delle facce del masso è chiamata dai locali «buco del diavolo» ed è associata a una leggenda che ha il Maligno come protagonista.

Il campo trincerato meglio conservato d'Europa si trova a 1600 metri di altezza, nei pressi del colle di Laz Arà, lungo la dorsale che delimita a sud la val Germanasca.

A realizzarlo furono i soldati dell'esercito francese comandati dal duca di La Feuillade nell'estate del 1704. La guerra era quella di successione spagnola, che portò i francesi sino alle porte di Torino, dove soltanto l'intervento di Eugenio di Savoia e degli imperiali impedì alla città di capitolare. Per coprirsi le spalle, i francesi decisero di presidiare il facile valico che consentiva di scendere verso Pinerolo senza transitare dalla bassa val Chisone. L'accampamento, in grado di ospitare 4000 uomini, fu realizzato in pochissimo tempo con attrezzi (pala e piccone) e tecniche tipiche del tempo: il risultato fu un ampio spiazzo protetto da fossati e terrapieni. L'evolversi degli avvenimenti ne decretò poi l'abbandono ma senza che venisse distrutto. A livello del terreno s'intuisce la presenza del campo, ma basta salire per poche decine di metri verso le pendici del Truc Lausa per poterne osservare con più chiarezza perimetro e dislocazione.

Al colle di Laz Arà si può arrivare anche in auto, ma chi teme per la propria vettura può percorrere a piedi l'interessante sentiero predisposto dal Comune denominato «La vio de la Meirando» («La strada della transumanza»). Una volta giunti, un pannello didascalico c'informa che il valico era anche luogo d'incontro tra i ragazzi di Perrero e quelli di Pramollo, che nella bella stagione salivano per far festa e ballare *curente* e *bourreo* accompagnati da suonatori di violino o di *semitun* (fisarmonica diatonica).

Proprio sotto il colle si trova Roccho Vélho, uno dei più importanti massi a coppelle del Pinerolese, in quanto la sua superficie ne ospita almeno un centinaio, assieme ad altri segni. La posizione è dominante, situata proprio di fronte al Gran Truc, la montagna più alta della valle. La roccia non è subito visibile: dal cartello che la segnala occorre infatti continuare in piano per una cinquantina di metri e le coppelle si trovano sulla sua

A sinistra, Roccho Vélho. Qui sopra, le trincee di Laz Arà; sullo sfondo il Gran Truc.

sommità. Evidente, nella parte sottostante, è lo «scivolo» utilizzato dai ragazzini per divertimento sino a non molto tempo fa. Per analogia con altre situazioni simili, si può ipotizzare che in tempi remoti fosse uno «scivolo della fertilità», utilizzato dalle donne per favorire la procreazione. Nessun racconto o leggenda locale, però, sembra suffragare questa ipotesi.

Il Ròch dij Gieugh

● UNA ROCCIA DEDICATA A GIOVE ALL'ANDRIERA DI USSEGLIO

Dove: a monte della strada per Pian Benot (Usseglio) presso la borgata Andriera (TO).
Accessibilità: libera. Sentiero segnalato, che sale in pochi minuti dalla strada provinciale.

Situato a 1680 metri di altezza, non lontano dalle case di Andriera, alpeggio stagionale di Usseglio, e dalla cappella della Madonna della Neve, la Roccia dei Giochi (traduzione italiana del nome che le è stato dato in *patois* franco-provenzale) è forse il masso istoriato più interessante e intrigante delle valli di Lanzo. Il masso è conosciuto già da tempo e, secondo don Natalino Drappero, studioso di tradizioni locali e parroco di Usseglio dal 1964 al 1980, sarebbe stato segnalato per la prima volta da Antonio Cibrario Ruscat, che aveva notato la roccia da ragazzo negli anni Trenta del secolo scorso, mentre Domenico Bertino se ne attribuisce la scoperta assieme a Battista Re Fiorentin. Il sito è stato riproposto all'attenzione dei ricercatori da don Drappero con un articolo apparso sul numero IV del *Bulletin d'Études Préhistoriques*

La borgata Andriera di Usseglio e alcune delle incisioni sul Roch.

Alpines. Secondo Drappero, i valligiani immaginavano che i pastori vi convenissero per svolgere dei giochi utilizzando l'intrico di coppelle e canaletti. Poco probabile, però, che si potesse giocare in quel modo e tale interpretazione pare un fraintendimento. Moltissime sono le pietre incise e davvero utilizzate per giocare, ma si tratta quasi sempre di rappresentazioni dello schema di base dell'antichissimo «filetto» (o «triade» o «tela» che dir si voglia), di cui però su questo masso non si trova traccia. Il masso, a forma di panettone e dalla superficie quasi orizzontale appena arcuata, giace appoggiato a un ripido pendio boschivo nei pressi di alcune sorgenti, proprio di fronte al Rocciamelone, considerato montagna sacra.

Nel museo civico Tazzetti di Usseglio, la cui visita è propedeutica e dove è possibile acquistare il recente libretto edito dal museo stesso (*Roccia dei Giochi, Roccia di Giove. Un masso inciso tra preistoria ed età moderna a Usseglio*), si può avere un primo approccio con le istoriazioni presenti sulla roccia. Sempre il museo offre anche un panorama complessivo delle molte incisioni presenti in alta valle. In particolare, una sala è dedicata alle due are romane e all'altorilievo proveniente da Malciaussia e raffigurante san Bernardo da Mentone, il nobile savoiardo protettore dei viandanti alpini. Riguardo al nostro Ròch, gli studiosi si sono resi conto che ci troviamo di fronte a un autentico palinsesto di pietra: se alcune incisioni sono di sicuro ottocentesche e altre sono medievali, si possono invece esprimere dei dubbi sull'attribuzione all'età del ferro dei «pediformi» (sono così chiamate le incisioni a forma di piede, molto diffuse nelle Alpi).

Allo stesso tempo, però, con le recenti attività di rilievo iconografico nel 2015 (con il progetto della cooperativa archeologica «Le orme dell'uomo») il masso è stato documentato, studiato e analizzato ed è risultato che tre figure di guerrieri, pur individuabili con difficoltà grazie all'impiego della luce radente, sono paragonabili ad altre figure simili proprio dell'età del ferro presenti nelle Alpi occidentali, nella val Camonica e in Valtellina.

Ma Giove che c'entra con il nostro masso? Nella pubblicazione citata si legge:

> In corrispondenza dell'area sul limite esterno nel settore B del Ròch dij Gieugh è stata rilevata una breve scritta, dove Andrea Arcà ha letto IOVI o IO-Vi o IOM in sequenza alternativa, e ha proposto di riconoscervi, con prudente ed encomiabile riserva di dubbio, un'iscrizione sacra che attesterebbe come in età romana il complesso fosse dedicato a Juppiter.

Un altare, insomma, per onorare il re degli dèi.

Per raggiungere il sito è necessario camminare qualche minuto. Si

Il Roch. A sinistra, il «magico» Rocciamelone si staglia avvolto dalle nuvole.

parte di fronte alla fontana situata al margine della strada asfaltata che conduce da Perinera a Pian Benot (1568 m); subito dopo l'ultima casa (ristrutturata) di Andriera, una traccia nel prato conduce a un'evidente pista realizzata per i lavori dell'acquedotto, che sale ripida attraverso il pascolo e, con andamento pressoché rettilineo, raggiunge il rado bosco. Dopo pochi minuti di salita, quando la pista pianeggia per un breve tratto (a destra si nota un prato), la si lascia per imboccare un sentiero sulla sinistra (ometto su un tronco tagliato, al bivio) che sale non segnato. Superata una radura erbosa, il sentiero, adesso ben evidente, piega dapprima a sinistra, poi inizia a salire ripido con alcuni tornanti. In alcuni tratti, corrimano rustici e gradini rendono più agevole la salita. Un'ultima rampa conduce infine al piccolo terrazzo. Il masso inciso, protetto anch'esso da una rudimentale staccionata, si trova sulla sinistra. Una piccola bacheca recante il rilievo del masso aiuta a orientarsi nel caotico dedalo delle incisioni.

Per saperne di più: Daniela Berta, Andrea Arcà, Francesco Rubat Borel (a cura di), *Roccia dei Giochi, Roccia di Giove. Un masso inciso tra preistoria ed età moderna a Usseglio*, museo civico Tazzetti, Usseglio 2016.

Il *sol invictus* a Briaglia

● **MEGALITI E IPOGEI NEL MONREGALESE**

Dove: piazza Giovanni II, Briaglia (CN).
Accessibilità: per il museo contattare il Comune, tel. 0174 563697; il Belvedere è ad accesso libero, l'interno della Casnea, in genere, è chiuso. I menhir e la panchina gigante si trovano nei pressi dell'area di sosta dei camper, la Casnea è all'interno di una proprietà privata, a sinistra della strada che conduce ai laghi.

Situata sulle ultime propaggini alpine – non più montagna, ma neanche collina – Briaglia è un piccolo centro agricolo del Monregalese, a due passi dal celebre santuario di Vicoforte, e deve la sua notorietà alla presenza dei numerosi pietroni rinvenuti a più riprese nelle campagne circostanti e, soprattutto, a una singolare e misteriosa struttura ipogea: la Casnea. Al Belvedere, a fianco del cimitero, si trova una delle tante gigantesche panchine che furono ideate qualche anno fa da Chris Bangle, designer americano innamorato delle colline langarole (non sappiamo se anche del Dolcetto) e che ha trasferito casa e studio nella borgata Gorre di Clavesana. Con l'aiuto di un agricoltore e artista del luogo, Francesco Falero, il designer ha costruito la prima panchina gigante e l'ha voluta di colore rosso. Quella che voleva essere una sorpresa è piaciuta così tanto che nel giro di poco tempo molti hanno seguito l'esempio di Bangler e, nei punti più panoramici, sono spuntate panchine in continuazione. Oggi sono una trentina (Carrù, Alba, Peveragno ecc.) ed esiste una sorta di passaporto su cui mettere il timbro a ogni sito visitato. Il panorama sulle Alpi e su Mondovì, anche senza sedersi sulla panca (difficile resistere alla tentazione, magari per un *selfie*), è davvero eccezionale. E dal Belvedere un breve sentiero consente un rapido giro per vedere alcuni dei monoliti rinvenuti negli anni Settanta del secolo scorso e dapprima interpretati come reperti di antiche civiltà collinari. A un esame pur attento (ma comunque non specialistico) è difficile dire se si tratti di manufatti o di pietre allo stato naturale come spesso se ne rinvengono lavorando i campi. Per cercare di capirne qualcosa di più si può tornare in paese dove, in quella che era la chiesa della Confraternita di San Giovanni ora sconsacrata e situata di fianco alla parrocchiale, è stato realizzato il museo Mondo

Le pietre issate in posizione panoramica e, in basso, l'interno della confraternita, sede del museo. Nella pagina precedente, la «big bench» di Briaglia.

di Pietra, proprio per ospitare molte delle pietre recuperate negli anni. Una serie di pannelli racconta le vicende archeologiche di Briaglia dal 1968 a oggi. Chi era convinto di trovarsi sul luogo di un importante sito archeologico era il conte Ettore Janigro D'Aquino, archeologo casalese salito a Briaglia nel 1968 dopo aver esplorato la zona di Vicoforte alla ricerca di una necropoli dei Liguri della cui esistenza era certo. Riuscì a coinvolgere la pro loco

La «casnea» vista dall'esterno e il corridoio interno il giorno del solstizio d'inverno.

e alcuni speleologi, e condusse degli scavi a proprie spese. Dopo un iniziale entusiasmo e l'interessamento della Soprintendenza, gli scettici ebbero la meglio e i sassi rinvenuti (con le loro relative presunte incisioni) vennero dichiarati di origine naturale e non sculture zoomorfe o statue-stele come ritenute da D'Aquino e dalla stampa locale del tempo. Dopo quattro anni di ricerche, gli scavi vennero abbandonati e parte del materiale raccolto andò disperso o a fare arredamento in qualche casa dei dintorni. D'Aquino prese a occuparsi di altri luoghi, in particolare delle rocce coppellate di Rocciarè a Roccabruna.
Janigro è scomparso nel 2005, ma altre persone, in anni recenti, hanno ripreso a occuparsi dei misteri di Briaglia; come Federico Milla dell'associazione di speleologia in cavità artificiali Mus Muris, e l'archeoastronomo Piero Barale. In particolare l'ipogeo della Casnea, già individuato da D'Aquino e all'epoca interpretato come un dolmen, ha suscitato l'interesse dell'*équipe* formata da archeologi, ingegneri minerari, speleologi con la partecipazione del Comune.

La cavità artificiale è situata a valle del paese, lungo la strada che conduce al lago e in apparenza è simile agli altri *crutin* della zona, le grotticelle scavate nella marna per gli usi più disparati. Questa, però, ha caratteristiche del tutto particolari. Innanzitutto si apre alla base di un pendio collinare lontano dalle case più prossime; poi, presenta all'interno, poco dopo l'ingres-

so, un pozzo semilunato (un altro è all'esterno), un corridoio abbastanza stretto con uno slargo a metà circa, una nicchia per l'illuminazione e, al fondo, una camera in cui sgorga una piccolissima sorgente. Quasi tutte le pareti sono ricoperte da uno strato di concrezioni. Gli scavi eseguiti sia a scopo di ricerca sia per la messa in sicurezza dell'ipogeo non hanno restituito reperti significativi, che possano suffragare ipotesi circa la sua origine e il suo utilizzo. La sua più singolare e straordinaria caratteristica è documentata in maniera inequivocabile in un filmato, presentato a un recente convegno proprio a Briaglia. Nei giorni del solstizio d'inverno, i raggi del sole che sorge dietro le colline di fronte all'ipogeo, alle 8.15 del mattino, lambiscono le pareti e il pavimento e giungono sino alla camera terminale. Casualità, antico culto delle acque o dei morti o invece, più prosaicamente, soltanto costruttori molto attenti? Secondo gli archeologi è davvero improbabile che il fatto sia casuale, seppure non da escludere. Qualcosa di molto simile lo troviamo in Irlanda, nell'area archeologica di Newgrange, non lontano dalla collina di Tara, dove un tumulo sepolcrale è orientato in modo tale che nei giorni del solstizio la luce solare penetri per pochi minuti all'interno della camera ipogea (spettacolo riservato ai pochi che riescono a prenotare la visita e che trovano bel tempo). Anche nella Spina Verde di Como, parco alle porte della città, un'antica sorgente vicina a insediamenti golasecchiani, la Mojenca, è lambita dal sole il giorno del solstizio. A Briaglia, però, i saggi di scavo, a parte qualche coccio medievale, non hanno portato elementi nuovi e le dicerie sull'esistenza di altri sotterranei nella collina non hanno trovato per ora nessuna conferma.

Certo è che il sole, nel lontano passato, è stato oggetto di venerazione in molte culture. Nel tardo impero romano Marco Aurelio Antonino, noto come Eliogabalo, introdusse il culto orientale del *sol invictus* anche nella capitale. Il «sole invitto» era quello del solstizio, un sole rivitalizzato che riprendeva il suo posto nel cielo e che era festeggiato intorno al 25 dicembre. Il Natale cristiano fu fatto coincidere proprio con quella ricorrenza per sovrapporsi alle credenze pagane.

La Ròca Furà

● UNA MISTERIOSA CAVERNA BACIATA DAL SOLE

Dove: al confine tra i Comuni di Borgone e Condove (TO).
Accessibilità: la caverna è sempre visitabile. Si può salire alla Ròca Furà partendo dalla falesia di arrampicata nota come «La cava», a lato di via Florio (strada per le borgate Chiampano e Achit).

Tra i molti posti più o meno curiosi che s'incontrano nella valle di Susa, la Ròca Furà (o Roccafurà, ma in piemontese vuol sempre dire «roccia forata») è uno di quelli davvero strani. Si tratta di una grossa caverna, con l'imbocco in parte circondato da rigogliosi cespugli di edera, che si apre a circa 650 metri di quota in una parete rocciosa a monte dell'abitato di Borgone. All'interno della cavità sono presenti molti grossi cilindri di pietra realizzati con lo scalpello. Alcuni appassionati di archeologia alternativa ci hanno visto una sorta di santuario dedicato a un antico culto solare, forse collegato alla misteriosa città di Rama. La realtà è quasi di sicuro meno intrigante: una delle maggiori risorse economiche di Borgone fu infatti per lungo tempo l'attività estrattiva, di cui la Ròca Furà è rimasta una delle testimonianze più vistose. Accanto alla pietra da opera, cioè blocchi, lastre e colonne (utilizzati per la costruzione di numerosi edifici di Torino e del Torinese), i cavatori locali (i *picapere*) commercializzavano anche macine da mulino. E la Ròca Furà era proprio uno dei siti, detti *molere*, dove queste venivano realizzate. I geologi rilevano che le macine venivano prodotte sfruttando i corpi lenticolari di micascisti argentei che si possono tuttora trovare intercalati all'interno delle bancate di metagranito. Quest'ultimo è una roccia molto dura, simile appunto al granito, ma di origine metamorfica e non ignea, ed era la base per la produzione dei semilavorati in pietra da opera di cui s'è detto in precedenza. I micascisti, invece, sono anch'esse pietre di origine metamorfica, ma risultano più facili da tagliare e da levigare secondo determinati piani perché possiedono una maggiore scistosità (stratificazione).

La Ròca Furà vista dal basso e l'imbocco della vecchia cava.

Una macina sbozzata sul tetto della caverna e le tracce della lavorazione all'interno della cava. A destra, un vigneto poco a valle delle Ròca Furà e la scalinata che dà accesso alla caverna.

La tecnica di produzione delle macine prevedeva innanzitutto un lungo lavoro degli scalpellini, che sbozzavano la base superiore e la superficie laterale di un basso cilindro, il cui diametro poteva raggiungere un metro e mezzo, mentre l'altezza si aggirava sui 30 centimetri. L'abbozzo della macina veniva poi staccato dalla matrice di pietra con l'aiuto di vari cunei di legno, che venivano inseriti asciutti in buchi praticati nella roccia e dei quali si provocava la graduale espansione imbibendoli d'acqua. La macina così ottenuta veniva poi levigata, forata e infine consegnata all'acquirente. Attorno alle macine sbozzate si notano ancora i segni degli scalpelli e il suolo è ricoperto dallo smarino prodotto dalle lavorazioni.

Per tornare ai nostri cilindri, collocati anche a parecchi metri di altezza rispetto al piano di calpestio, essi non sarebbero altro che semilavorati in attesa di essere staccati, forse lasciati sul posto in attesa di un compratore oppure in seguito all'abbandono dell'attività estrattiva.

La cava è oggi raggiungibile in una ventina di minuti di cammino partendo dal piccolo posteggio a monte della palestra di roccia detta «La cava». Da lì s'imbocca una mulattiera che si tiene sulla destra della parete rocciosa e, dopo aver costeggiato alcune belle vigne, si raggiunge un bivio dove ci si tiene sulla destra (cartello). Si prosegue ancora a destra e in poco tempo si guadagna quota tra gli alberi, fino a portarsi alla base di una paretina rocciosa attrezzata con alcuni gradini in tondino di ferro. Salendoli, si arriva alla base dello scivolo roccioso che conduce alla cava, nella prima parte attrezzato con catene metalliche. Si tratta di una salita breve ma ripida, sconsigliabile a chi soffre di vertigini o quando il suolo è umido o in presenza di neve residua. In onore dell'affascinante caverna un'azienda vinicola della zona produce da qualche anno il Ròca Furà, un fresco vinello rosato ottenuto a partire da uve avanà e neretta cuneese.

Per saperne di più: AA.VV., *I geositi nel paesaggio alpino della provincia di Torino*, Provincia di Torino, Torino 2004.

Roccerè, la montagna delle coppelle

● UN'AREA ARCHEOLOGICA ANCORA TUTTA DA SCOPRIRE

Dove: il centro visite del museo è situato in località Sant'Anna di Roccabruna (CN).
Accessibilità: da Roccabruna si sale alla frazione Sant'Anna seguendo le indicazioni. Il museo è gestito dall'associazione Amici del RocceRé ed è aperto la domenica nei mesi estivi. Il centro visite organizza su prenotazione visite guidate all'area archeologica (minimo quattro persone), con avvicinamento in navetta. Sul Roccerè è possibile percorrere in autonomia un breve sentiero, mentre per i siti di Roccias Fenestre e di Masso Altare è consigliata la guida di un accompagnatore. L'anello archeologico con partenza da Sant'Anna richiede circa quattro ore di cammino e comporta un dislivello di 550 metri; per informazioni: associazione@roccere.it, cell. 347 2358797; *www.roccere.it*; *www.coppelleroccere.com*.

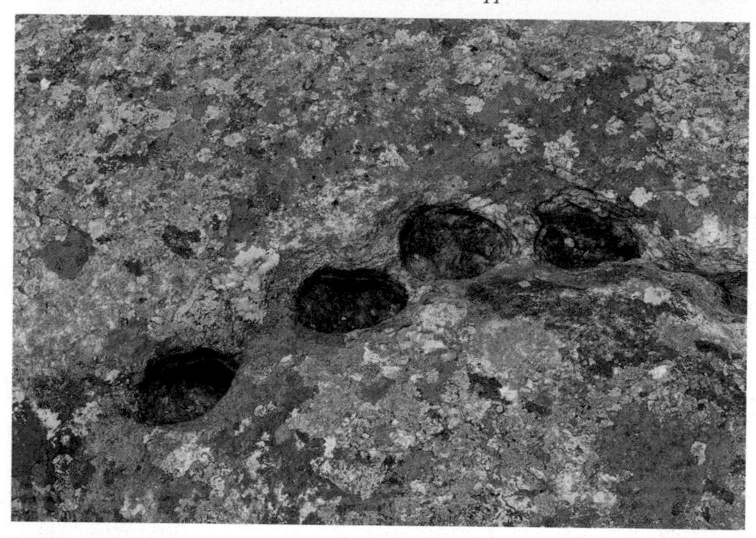

Ben visibile da Dronero, il monte Roccerè (1851 m) è una modesta elevazione della lunga dorsale che separa la val Maira dalla val Varaita, percorsa dalla celebre «strada dei Cannoni». È soltanto dalla metà degli anni Settanta del secolo scorso che ha iniziato ad attirare l'attenzione dei ricercatori ed è allora che le prime coppelle sono state documentate. All'inizio degli anni Novanta, complici gravi incendi boschivi che avevano ridotto il manto vegetale e reso visibili molte delle rocce del versante sud della montagna, il verzuolese Cesare Baldi poté constatare la presenza di moltissime superfici incise da coppelle: di sicuro alcune migliaia, concentrate in un'area di pochi ettari. Dopo la segnalazione, la Soprintendenza pose la zona sotto tutela.
Le coppelle rappresentano una delle manifestazioni più enigmatiche nel complesso dell'arte rupestre, perché realizzate in un arco di tempo molto ampio, dal neolitico all'età romana e sino quasi ai giorni

Particolari delle coppelle e la cima del Roccerè. In basso, il masso altare.

Panorama verso la valle Stura dalla Balma Scura. A destra, baite tipiche della tradizione occitana a Roccabruna e un calco di roccia coppellata al centro visite.

nostri. Non sempre, poi, sono di origine artificiale, cioè realizzate dall'uomo con strumenti litici o scalpelli metallici; talvolta se ne trovano di origine naturale. Quest'ultimo non sembra però il caso di Roccerè: per il tipo di roccia, per l'esposizione e, soprattutto, per il grandissimo numero di coppelle, in molti casi organizzate in vere e proprie configurazioni. Circa la loro funzione sono ormai decine le interpretazioni che vengono date loro (religiose, topografiche, ludiche ecc.). Ciò che è più probabile è che non vi sia mai stata unicità d'intenti, ma piuttosto che questi manufatti abbiano avuto significati diversi a seconda del periodo e del luogo. Le incisioni rupestri di Roccerè risalgono con probabilità all'età del bronzo e forse erano espressione di culti solari. Secondo chi ne ha approfondito lo studio «venivano prodotte nell'ambito di riti celebrativi, commemorativi, iniziatici o propiziatori sotto la regia di sciamani o stregoni. I luoghi e le pietre sulle quali venivano eseguite quasi certamente erano considerate sacre».

Nell'area del Roccerè si trovano anche diverse *barme*, cioè ripari sotto roccia frequentati dagli antichi pastori. Dai resti organici ritrovati (carboni, ossa ecc.) sottoposti a datazione radiometrica è stato possibile accertare la presenza umana in questi luoghi già nel 2000 a.C., ma le ricerche continuano e offrono sempre nuove sorprese. Da poco (le analisi sono ancora in corso) è stata

individuata quella che potrebbe essere una rara pittura rupestre e si è verificato che all'equinozio d'autunno i raggi solari si allineano con un locale sistema di coppelle e di canaletti. Del 2015, invece, è la scoperta che, nel solstizio d'estate, i raggi solari entrano con precisione nell'apertura di Roccias Fenestre.
Il centro espositivo, da poco inaugurato nel rifugio di Sant'Anna, è propedeutico alla visita del luogo: vi si possono acquistare cartine e pubblicazioni e si può prendere visione dei molti articoli comparsi su giornali e riviste nazionali e locali dalla scoperta del sito a oggi. La riproduzione di una roccia e lo strumento litico che l'accompagna consentono di farsi un'idea sulle modalità esecutive delle coppelle. Per chi si accontenta di visitare il museo, infine, una mostra fotografica illustra con belle immagini le principali caratteristiche dell'area. Nella borgata di Sant' Anna (1242 m) si trovano anche un paio di ristoranti, uno dei quali merita di essere provato.

Per saperne di più: Riccardo Baldi, *Roccaruna RocceRè. Messaggi dalla Preistoria*, 2ª edizione, associazione Amici del RocceRé, Roccabruna 2013.

TORRI E CASTELLI

- Castellar, la residenza dei Saluzzo di Castellar e Paesana
- Il castello di Vogogna • La torre di Barchi • La torre del Colle
- Il ricetto e la torre di San Mauro

Castellar, la residenza dei Saluzzo di Castellar e Paesana

● UNO SCENOGRAFICO CASTELLO, DIVISE E UN VINO ANTICO

Dove: via Cambiano, 11, Castellar (CN).
Accessibilità: il castello è accessibile durante le manifestazioni, gli spettacoli e le visite guidate organizzate dal proprietario nei mesi estivi in date stabilite. Può essere affittato come location per matrimoni (gruppi d'invitati non troppo numerosi). Una stradina acciottolata che s'imbocca al centro del paese (e che permette di vedere i famosi spaventapasseri) sale sino al cancello dell'ingresso principale del castello (si può giungere sin qui in auto, attenzione al senso unico). *www.castellodicastellar.it.*

La val Bronda, piccola valle laterale di quella del Po, è nota soprattutto per le sue mele, le prugne (i famosi *ramasin*) e l'uva Pelaverga, molto ricercata già prima della sua recente riscoperta e valorizzazione. Uva da mensa ma anche da vino, un vino che fu tanto apprezzato da papa Giulio II che, quando Margherita di Foix marchesa di Saluzzo gliene inviò una partita in dono, tanto lo gradì da chiederne una fornitura fissa e da assegnare un vescovo alla città della donatrice; «*èl bon vin che j piasia a lo papa Julio*», viene definito il Pelaverga nel *Charneto* del castellano Giovanni Andrea di Castellar, un quaderno-diario nel quale sono narrati fatti e avvenimenti del marchesato saluzzese dal 1482 al 1528.

Castellar è tutt'uno con le sue vigne, il suo castello e, da qualche tempo, con i vezzosi e divertenti spaventapasseri che si possono

Il castello di Castellar. Nella pagina precedente, un grappolo di Pelaverga.

Un salone del castello. A destra, la ruota del pozzo e l'esposizione di cimeli.

ammirare sparsi qua e là tra le case e i giardini. Nella piana verso Saluzzo la cappella campestre di San Ponzio conserva antichi affreschi. Lo scenografico castello, eretto nel Trecento dai marchesi di Saluzzo, conserva poco del suo passato. Alla fine del Cinquecento un incendio, originatosi per autocombustione dalle cantine dov'erano tenuti i tini (vuoti) del Pelaverga, distrusse gran parte degli arredi interni. Nato per esigenze difensive, l'edificio fu adibito a dimora signorile da Azzone di Saluzzo (1357), capostipite dei conti di Paesana e di Castellar; suo diretto successore fu il già citato autore del *Charneto*. Più volte abbellito e modificato, il castello subì la sua ultima, radicale trasformazione tra il 1895 e il 1905, quando il D'Andrade, ideatore del Borgo Medievale di Torino e restauratore del castello di Fénis, vi aggiunse quegli elementi propri del gusto neogotico. L'attuale proprietario del maniero è Anselmo Aliberti, cavaliere dell'ordine Mauriziano, commendatore dell'ordine della Corona di Ferro e collezionista di uniformi, armi e cimeli del regio esercito italiano. Attraversata la porta fortificata, sopra la quale incombe una cancellata di ferro manovrata dall'argano (voluto dal D'Andrade) situato al piano superiore, si accede alla galleria del piano terreno. A sinistra si trova la sala detta «delle Dame», ornata da trofei e blasoni delle famiglie imparentate con i marchesi di Saluzzo. Sul soffitto a cassettoni sono dipinti alcuni cartigli contenenti versetti tratti da *Le Chevalier Errant*, di Tommaso III di Saluzzo. Figlio di Federico II del Vasto, Tommaso fu uomo di grande cultura e autore, a fine Trecento, di quello che è considerato uno dei più importanti testi cavallereschi medievali. In quest'opera, che ebbe una notevole influenza sulla cultura piemontese del periodo, il marchese volle rappresentare un'allegoria della vita umana attraverso il viaggio di un anonimo cavaliere nei mondi di Amore, Fortuna e Conoscenza.

A fianco di quella «delle Dame» si trova la sala «degli Uomini», sulle cui pareti sono dipinti gli stemmi della famiglia Saluzzo con i suoi esponenti più illustri. Il grande quadro nell'ingresso rappresenta il duca Amedeo di Savoia, fratello del re Umberto I, nel giorno del suo matrimonio con Letizia Napoleone. Dall'altra parte della sala vi è l'accesso alle cucine, con il pozzo che recenti misurazioni dicono essere profondo 40 metri. Dal terrazzo si gode la vista sui sottostanti giardini e sulla valle. Una scala conduce al piano superiore, dove si trovano la galleria e la sala del Trono, nella quale è esposta un'importante raccolta di uniformi, armi, documenti e cimeli del regio esercito italiano risalenti al periodo di Vittorio Emanuele II. Pezzi unici sono le uniformi di Umberto II, ultimo re d'Italia. Nella stessa sala si possono ammirare (da poco recuperati) alcuni dei dipinti murali attribuiti a Pittavino da Vernant, che li eseguì a cavallo tra Sette e Ottocento e che rappresentano la caccia al cervo in versione medievale.

Il castello di Vogogna

● LA SENTINELLA DELLA VAL D'OSSOLA

Dove: via Castello, Vogogna (VB).
Accessibilità: per gli orari di apertura è bene consultare il sito *www.parcovalgrande.it*. L'ingresso è a pagamento: euro 3,50 (ridotto euro 2,50, scolaresche euro 2,00).

Il castello visconteo di Vogogna, un tempo il più importante della valle, è oggi il meglio conservato dell'Ossola. Vogogna fu capoluogo della bassa valle dal 1328, dopo le distruzioni causate dalle spaventose alluvioni del Marmazza e dell'Anza di Vergonte nel 1250, e fu sede della giurisdizione dell'Ossola inferiore sino al 1818, quando il mandamento passò a Ornavasso. Allora, il declino del borgo fu inevitabile, ma il suo mancato sviluppo ne ha limitato le trasformazioni, permettendo la conservazione dell'antica struttura urbanistica senza eccessive compromissioni.
Prima di visitare il castello è d'obbligo una passeggiata nelle vie del paese. Nella piazza del Pretorio si trova un edificio quasi coevo al maniero e alle mura, edificato nel 1348 e che sino al 1819 fu sede del governo ossolano e del funzionario che amministrava la giustizia. Il palazzotto è sostenuto da archi acuti poggianti su tozze colonne e riprende il modello architettonico del broletto lombardo. Nell'aula aperta a livello della piazza, il venerdì si teneva un importante mercato. Curiose sono le scritte che si trovano sulle chiavi di volta, come questa: «La femmina consuma e annulla, uccide, sottrae, acceca,

Il castello di Vogogna, la torre e un particolare.

Panorama dal castello verso la valle della Toce; in basso, ambientazione medievale.
A destra, ricostruzione di armamenti d'epoca.

amareggia il corpo, le facoltà, l'anima, l'energia, gli occhi, i suoni. È bene credere all'esperto».

Nella storica villa Biraghi, che fu residenza del celebre architetto Paolo Vietti Violi, progettista dell'ippodromo di San Siro a Milano, ha oggi sede il parco nazionale della Val Grande, istituito nel 1992.

Il castello si trova nella parte alta del paese e fu fatto costruire nella seconda metà del XIV secolo da Giovanni Maria Visconti, vescovo di Novara e poi signore di Milano, per migliorare il sistema difensivo del

suo Stato. Non fu mai dimora signorile ma solo postazione militare. Progettato per scoraggiare e contenere possibili invasioni vallesane, l'edificio venne inglobato nel sistema fortificato che cingeva il borgo. La posizione di Vogogna, in un gomito della valle, era molto importante perché controllava vie di comunicazione assai frequentate (come la strada «francisca», che collegava Milano con Berna) e permetteva l'esazione di dazi sulle merci in transito. Il castello fu danneggiato durante l'assedio posto dal marchese del Monferrato nel 1360 e da qui, nel 1487, al tempo di Ludovico il Moro, partirono le milizie ducali che sconfissero le truppe del vescovo di Sion nella battaglia di Crevola.

La struttura del fortilizio è abbastanza semplice: una manica rettangolare addossata a una preesistente torre poligonale, oggi diroccata, che culmina con un torrione semicircolare, da cui iniziava la cinta muraria del borgo, e due cortili fortificati a cui si accedeva dal ponte levatoio che chiudeva il portale a sesto acuto. Dopo il Medioevo, persa la sua funzione difensiva, nel 1798 il castello divenne proprietà del Comune, che lo utilizzò come carcere (è ancora visibile la finestrella nella torre attraverso la quale i reclusi comunicavano con l'esterno). Quindi divenne caserma dei regi Carabinieri e, sino al 1952, dipendenza di villa Biraghi. Seguì un lungo periodo di abbandono e degrado durato sino agli ultimi restauri, contestuali all'istituzione del parco nazionale e alla destinazione dell'edificio a centro multimediale dedicato all'ecologia delle Alpi.

Al piano terreno sono ricostruiti ambienti di vita del Medioevo e vi si trova un'esposizione di armi. Ai piani superiori trovano spazio aree espositive, una sala convegni, uno spazio didattico riservato ai bambini e la mostra permanente *Il soldatino di piombo. Figurini storici dal secolo V al secolo XXI.*

La torre di Barchi

● TRA LEGGENDA E REALTÀ: L'ANTICA TORRE DEI SARACENI A STRAPIOMBO SUL TANARO

Dove: frazione Barchi di Ormea (CN).
Accessibilità: la torre è sempre visitabile.

Il ricordo dei saraceni ha lasciato diverse testimonianze in val Tanaro, tutte più o meno leggendarie e offuscate dalle nebbie della storia, come il ballo delle Spade di Bagnasco o la balma del Messere di Cantarana. Tra queste, la torre di Barchi, che incombe scenografica dall'alto di uno spuntone roccioso, è un vero e proprio monumento simbolo dell'alta valle. Gli storici affermano che non siano stati i feroci invasori islamici a edificarla, ma che si tratti di un'opera della tarda romanità, facente parte di un sistema di avvistamento e di difesa messo a punto dai Bizantini. All'inizio del X secolo, però, i saraceni penetrarono davvero da Oneglia nella valle del Tanaro, raggiungendo Garessio e Mondovì, e forse riadattarono i vecchi avamposti come base per le loro scorrerie.

Alla torre si arriva ancora oggi solo a piedi o in mountain bike. Provenendo da Garessio l'attacco della salita si raggiunge svoltando a sinistra da Isola Perosa, una borgata sulla strada per Ormea situata 500 metri oltre la stazione ferroviaria di Eca-Nasagò. Sottopassata la ferrovia si supera il ponte sul Tanaro e si aggira sulla destra una prima borgata, proseguendo poi a fianco di un rio per una stradina asfaltata fino al piccolo cimitero di Barchi (possibilità di posteggio). Qui la strada diventa a fondo naturale; dopo pochi minuti di cammino si lascia a destra la via selciata per Barchi, le cui case sono ormai semiabbandonate dagli abitanti ma utilizzate in parte da famiglie tedesche, e si prosegue lungo il torrente sino a un successivo bivio. Si lascia a destra la via per il colle del Prione e si continua dritto, sorpassando il rio su un bel ponte in pietra. La strada, dopo un tornante, sale ripida sino a case Zitta. Si supera la borgata, trascurando il sentiero che sale sulla destra, per proseguire nel bel castagneto con vecchi esemplari alcuni dei quali, purtroppo, abbattuti di recente dal freddo. Alla successiva biforcazione si tiene la sinistra per raggiungere quasi in piano la base dello sperone su cui è la torre. Si prosegue oltre il tabellone informativo portandosi ai piedi di un salto di roccia, percorso da

Lo sperone roccioso che sovrasta frazione Barchi e l'accesso alla torre.

Interno della torre. A destra, il sentiero di salita e la val Tanaro vista dall'alto.

un'evidente frattura. Si risale il ripido canale messo in sicurezza con catene (non tutte in buone condizioni), aiutandosi da ultimo con le mani. Piegando infine a destra si passa un ponticello in legno per raggiungere la rustica porticina di accesso alla torre. Attenzione, gli ultimi 100 metri della passeggiata non sono da sottovalutare e sono del tutto sconsigliati in presenza di ghiaccio o neve residua. In alternativa si può raggiungere la torre con un percorso su sentiero, più ripido e diretto, che parte dal ponte sul Tanaro e, attraversate le poche case antistanti al ponte per una viuzza, poggiando a sinistra fiancheggia poi una caratteristica parete rocciosa che sovrasta il paesino. Di qui alcune frecce in legno portano all'imbocco del sentiero, che prosegue non segnalato fino a confluire nella mulattiera più larga che proviene da case Zitta e che, seguita verso sinistra, conduce con comodo alla base del dirupo sul quale sorge la torre.

Questa si trova a una quota di 893 metri ed è cilindrica, con un diametro di circa tre metri e un'altezza di nove. È costruita in pietra locale legata con calce. Con buona probabilità, in origine era più alta; al suo interno si trova un incavo circolare che sosteneva un soffitto in legno oggi scomparso. La parte superiore risulta aperta ma doveva esistere senz'altro un piano di calpestio, per consentire al presidio di sorvegliare con cura i dintorni.
Il GAL (Gruppo di Azione Locale) e la comunità montana Alta Valle Tanaro nel 1999-2000 hanno restaurato l'edificio, facilitandone l'accesso e dotandolo d'illuminazione notturna. Oggi si accede all'interno da un'apertura irregolare, praticata alla base, ma come

in altre costruzioni dello stesso periodo, per rendere meno agevole l'ingresso al nemico, in passato l'entrata era quasi di sicuro posta a una certa altezza e vi si arrivava grazie una scala a pioli che poteva essere ritirata.

La torre è al centro di una leggenda locale, secondo la quale i predoni che tiranneggiavano la valle avevano preso prigioniera una ragazza del paese, fidanzata a un giovane della famiglia Zitta. Questi, con uno stratagemma, penetrò nella torre uccidendone il guardiano. Approfittò poi del fatto che per accedere alla torre vi si doveva salire uno alla volta e riuscì a scaraventare nel precipizio sottostante, uno per uno, tutti i saraceni, che tornavano da una scorreria. Il fragore delle acque del Tanaro, infatti, copriva le urla di coloro che precipitavano e impediva ai loro compagni di accorgersi della triste fine che li aspettava. In seguito a questa impresa, lo Zitta assunse il soprannome di «Tornatore» (perché «tornato dalla torre») e, secondo una delle varie versioni della leggenda, gli abitanti della zona, spinti dall'odio verso i malvagi occupanti, iniziarono a demolire l'edificio, lasciandone però poi in piedi la base (quella tuttora visibile). La storia ufficiale, però, afferma che i saraceni furono costretti ad abbandonare la vallata non grazie all'impresa di un singolo eroe, ma a opera del marchese Guglielmo di Provenza, che li sconfisse nel 983.

La torre del Colle

● LA SENTINELLA DELLE CHIUSE VALSUSINE

Dove: via Torre del Colle, Villar Dora (TO).
Accessibilità: l'edificio si può visitare dall'esterno, mentre all'interno non è accessibile. La torre può essere raggiunta in auto percorrendo una stretta strada asfaltata che si stacca dall'ex statale 24 (via Torre del Colle) oppure a piedi, in una mezz'oretta, per un sentiero che partendo dal bivio costeggia per un tratto il costolone montuoso sul lato di Villar Dora e poi sale alla costruzione, raggiungendola da nord. Al termine della strada asfaltata è presente una piazzola con un tavolo per picnic. *www.comune.villardora.to.it/vila/turismo/torre-del-colle.*

L'area dove la Valsusa si allarga è stata per molti secoli un luogo di grande importanza strategica, perché costituiva (e costituisce tutt'ora) un punto di accesso privilegiato alla pianura Padana e in generale all'Italia. Una delle grandi battaglie tra le truppe cartaginesi e quelle della Roma repubblicana fu combattuta nella zona, ai Campi Taurinati, e un migliaio di anni dopo il superamento delle Chiuse longobarde che sbarravano lo sbocco della vallata fu la chiave di volta per la discesa in Italia di Carlo Magno. Oltre all'abbazia fortificata di San Michele della Chiusa (più nota come «Sacra di San Michele»), che domina questo angolo di Piemonte dall'alto del monte Pirchiriano, esistono vari altri edifici che testimoniano tale importanza strategica. Uno di questi è la torre del Colle, che sorge a 405 metri di quota, quasi alla fine dello sperone montuoso che divide Villar Dora e la val Messa da Caprie, paese dove termina invece la breve vallata del rio Pissaglio. La documentazione storica attesta che l'edificio fu costruito tra il 1289 e il 1290 per volere di Amedeo V di Savoia. Sul posto esisteva già un presidio fortificato, che era però inadatto per controllare in modo adeguato la strada di fondovalle e il vicino ponte sulla Dora Riparia. Un'altra funzione della nuova costruzione era quella di collegare «a vista» il castello di Avigliana con altri edifici fortificati all'interno della Valsusa. Nel Medioevo, infatti, un efficace sistema di comunicazione si basava su segnalazioni ottiche che connettevano, tramite specchi o falò, punti elevati concatenati tra loro. La nostra torre doveva essere circondata da

La valle di Susa vista dal rilievo sul quale sorge la torre, qui fotografata in autunno.

Dettaglio di un merlo con la propria feritoia. A destra l'osservatorio nei pressi della torre e il fascio littorio scolpito su un muro dell'edificio.

una piccola cinta muraria, della quale ancora nell'Ottocento erano visibili alcuni resti. A partire dalla prima metà del XIV secolo la costruzione passò alla nobile famiglia dei Provana (una delle più potenti casate del Piemonte) assieme alla zona circostante, dove sorgeva una cappella dedicata a San Lorenzo, in seguito scomparsa.

La torre è cilindrica, alta circa 19 metri e con un diametro di 7; la muratura, realizzata in pietrame legato con malta, è tutt'ora in ottimo stato di conservazione e ha uno spessore tale che lo spazio interno alla costruzione ha un diametro pari alla metà di quello totale. La parte superiore è in parte intonacata ed è orlata da otto merli guelfi, cioè con la sommità squadrata; su quattro di essi sono presenti feritoie che consentivano l'osservazione e forse il lancio di frecce senza rischiare di essere colpiti dal basso. Grazie ad alcune cornici in pietra sovrapposte la parte terminale dell'edificio si allarga rispetto a quella inferiore, permettendo tra l'altro lo scolo dell'acqua piovana al suolo mediante canalette in pietra. Questo vale anche per una latrina a sbalzo, che evitava di insudiciare la muratura esterna. I militari di presidio dovevano accedere all'edificio tramite un'apertura posta a circa sei metri dalla base della torre, s'immagina con scale che in caso di necessità venivano ritirate all'interno. Si tratta di un sistema utilizzato in varie strutture medievali, come per esempio nelle torri cilindriche degli antichi

monasteri irlandesi, studiate in modo da offrire riparo ai monaci in caso di necessità. All'interno dell'edificio erano presenti due solai in legno collegati da una scaletta. Quello realizzato a sei metri di altezza, in corrispondenza della porta di accesso, è oggi scomparso, mentre a circa 10 metri è ancora presente il secondo, che consentiva brevi permanenze agli uomini di guardia. Il locale definito da questo solaio e dalla volta sommitale della torre era reso più accogliente da alcune finestrelle e da un grosso camino. Da qui si poteva accedere al terrazzino superiore, circondato dai merli, mediante una botola. La torre ha subito alcuni restauri nella seconda metà degli anni Settanta del Novecento ed è stata da poco dotata di un sistema d'illuminazione notturna. È circondata da un'area boscata e, sul versante che guarda a ovest, da un piccolo e suggestivo vigneto. Poco a monte è collocato un traliccio per le telecomunicazioni, non molto alto ma che certo stona un po' con la bellezza del luogo. Proseguendo per uno sterrato che risale il costolone verso nord, in alcuni minuti di cammino è possibile raggiungere una piattaforma panoramica che negli anni del fascismo fungeva da osservatorio, come testimonia il fascio littorio tuttora presente su uno dei muri.

Il ricetto e la torre di San Mauro

● NELLE TERRE DEL BARATUCIAT

Dove: frazione San Mauro, Almese (TO).
Accessibilità: libera all'esterno, visite guidate gratuite alle 15, alle 16 e alle 17 in date prestabilite e durante mostre o manifestazioni.
Info e prenotazioni: Ufficio Cultura del Comune di Almese, tel. 011 9350201, cultura@comune.almese.to.it; Federazione Italiana Escursionismo, cell. 338 2011184; segreteria Piano di Valorizzazione Valle di Susa Tesori di Arte e Cultura Alpina, tel. 0122 622640.

Lo sbocco della val di Susa e le ultime pendici delle Alpi Cozie e Graie hanno visto nel corso dei secoli importanti presenze monastiche, che promossero vari insediamenti soprattutto produttivi, spesso in competizione se non in aperto conflitto tra loro. Così il castello di Camerletto, oggi B&B, è stato un'importante commenda della potente abbazia della Novalesa, il Grangiotto era una dipendenza al di qua della Dora del priorato di Sant'Antonio di Ranverso e il ricetto di San Mauro fu base dei monaci di San Giusto di Susa, rappresentati da un loro delegato che amministrava la giustizia. Vi venivano inoltre conservati i prodotti del territorio e le vettovaglie, cercando di salvarle dalle milizie che nelle varie epoche scorrazzarono nella valle. Già i Romani si erano accorti del clima favorevole di questa zona, tanto da costruirvi una *villa* che controllasse i transiti e coltivasse le fertili terre circostanti. Il sito archeologico di Rivera è situato su un terrazzo bene esposto, poco a monte della strada di fondovalle. Da tempo si sospettava l'esistenza di strutture antiche ma soltanto nel 1979, con i lavori per la realizzazione di un'area residenziale, queste vennero alla luce e rivelarono la loro età imperiale. Da allora diverse campagne di scavo curate dalla Soprintendenza regionale hanno permesso di approfondire la conoscenze del luogo. Il sito si estende su una superficie di oltre 3000 metri quadrati ed è chiuso verso valle da un muraglione di contenimento. Si sviluppa su diversi livelli, con l'alternarsi di zone edificate e di aree scoperte. Nel suo genere è il più importante edificio residenziale suburbano romano del Piemonte. Nella parte superiore del terrazzamento si trovava la parte padronale, con le stanze distribuite ai lati di un cortile porticato. In basso vi erano invece i locali di servizio, i magazzini, le dispense e anche gli

Il borgo di San Mauro visto dal pilone della Costa e l'ingresso originario del ricetto.

alloggiamenti degli schiavi. I muri (alcuni conservatisi per un'altezza di due metri) sono realizzati in ciottoli e conci di pietra legati con malta. La villa sembra essere stata costruita in età augustea, mentre la sua distruzione e il conseguente abbandono, a cui concorse forse un incendio, avvenne verso la fine del III secolo d.C. Tra i materiali rinvenuti durante gli scavi sono da citare la base di una macina a mano per cereali, resti di mosaici, canalette e coppi, stucchi, intonaci, monete, chiodi e grappe in ferro utilizzate per le murature.
Non lontano dall'area archeologica si trovano il borgo e il ricetto di San Mauro di Almese. L'alta torre e il muro con merlatura guelfa attirano ancora oggi l'attenzione anche del viaggiatore più distratto. Sull'affioramento roccioso, che s'individua tra le fondamenta del complesso, erano già stati costruiti in precedenza una cappella e un

Il complesso fortificato e l'alta torre.

campanile dedicati a san Mauro, il discepolo più importante di san Benedetto. La costruzione del ricetto risale ai primi decenni dell'XI secolo. È nel 1029, infatti, come attesta un'antica pergamena, che Olderico Manfredi, marchese di Torino e nipote di Arduino il Glabro, vincitore dei saraceni e padre della contessa Adelaide di Susa, dona un terzo dei suoi possedimenti valsusini all'abbazia benedettina di San Giusto in Susa, inclusa la *curtis* di San Mauro. Tra il 1281 e il 1285 la *curtis* viene trasformata in borgo fortificato, cioè in *castrum*, mentre il campanile sarà poi privato della cuspide per esigenze difensive e la chiesetta diventerà il magazzino dove conservare i prodotti agricoli. Nel piccolo borgo rurale il castellano, per conto del monastero e dell'abate, provvedeva a immagazzinare quanto prodotto nei terreni circostanti, a incamerare le decime dovute e ad amministrare la giustizia. Nel 1620, quando già il ruolo del *castrum* stava declinando, vi fu incarcerata una povera donna di Rubiana accusata di stregoneria, Maria Gotto, che preferì sfuggire ai suoi carcerieri suicidandosi. Ne seguì un'inchiesta, alla fine della quale le guardie furono prosciolte, ma il corpo della sventurata fu bruciato con l'ultimo rogo della valle.

La torre del ricetto è alta 26 metri, suddivisa in sette piani segnati da archetti pensili in cotto e da marcapiani a dente di sega ed è oggi accessibile con una scala che conduce sino al panoramico terrazzo sommitale (raggiungibile durante le visite guidate). Nella trasformazione da campanile a struttura difensiva la cuspide fu sostituita da una sopraelevazione merlata aggettante e la torre venne dotata di caditoie mentre le originarie aperture, monofore in basso e trifore in alto, furono chiuse e ridotte a feritoie (ma se ne possono ancora ammirare i bei pilastrini di pietra). Il ricetto era circondato da una doppia cinta di mura e da un fossato con ponte levatoio. L'attuale ingresso sostituisce quello antico. Del fossato che circondava tutto il borgo resta visibile solo la parte a nord-ovest. Della prima cinta muraria, che racchiudeva la chiesa e il campanile, si possono ancora vedere alcuni merli guelfi; la seconda cinta muraria, più esterna, è invece quasi del tutto scomparsa lasciando spazio alle case del paese. Con la soppressione dell'abbazia di San Giusto in Susa avvenuta nel 1772 e lo svilupparsi lungo il torrente Messa del borgo di Almese, l'antico ricetto perse la sua importanza e fu frazionato in molte proprietà. La parte anteriore, quella tutt'ora sormontata dai merli, venne acquistata nel 1889 da un certo Battista Truccato,

scalpellino. Durante i lavori di restauro, a suo dire, rinvenne una pergamena nella quale si accennava a un tesoro nascosto in una galleria proveniente da ponente e che arrivava fin sotto la torre. Convinto della veridicità dello scritto, Truccato effettuò numerose ma infruttuose ricerche e, non essendo di sua proprietà la parte posta a ponente del ricetto, si decise a scavare un tunnel che, secondo lui, avrebbe intercettato il cunicolo della pergamena e quindi il tesoro. Dal 1913 al 1918 scavò per circa 16 metri senza esito nella dura roccia, affilando scalpelli e punte nella piccola officina realizzata all'imbocco del tunnel. Morì prima di aver trovato il tesoro. I familiari, che non credevano molto alle bizzarre convinzioni del defunto Battista, preferirono sbarazzarsi della pericolosa pergamena tentatrice gettandola in un pozzo. La galleria di Truccato, però, divenne luogo di rifugio durante le incursioni aeree della seconda guerra mondiale ed è tutt'ora visitabile.

La sacra di San Michele si staglia dall'altra parte della valle.
A sinistra, la scaletta di accesso al terrazzo superiore della torre
e la galleria scavata sotto il ricetto per ricercare il misterioso tesoro nascosto.

Alla fine del 2006 la torre e il ricetto, in comodato d'uso al Comune di Almese, sono stati oggetto di un intervento di restauro e ristrutturazione, diventando spazio espositivo e sede di eventi culturali. Dall'alto della torre, oltre al panorama che spazia su tutta la bassa valle di Susa, non si potrà non notare sulla collina di Rivera la presenza di vigneti. Oltre alle varietà a bacca rossa sono presenti in purezza alcuni filari di Baratuciat, un raro vitigno a bacca bianca autoctono da cui si ricava un vino prossimo a potersi fregiare della DOC. Le indagini ampelografiche ne hanno evidenziato la sua originalità. Il Baratuciat è presente nella bassa val di Susa da almeno 150 anni e fu coltivato fino ai primi del Novecento. A causa del flagello della fillossera, la sua coltura si era però persa. Sopravvissuto in poche decine di piante sulle colline di Almese, deve il suo salvataggio all'intraprendenza dell'ex sindaco Giuliano Bosio e al programma di riscoperta e valorizzazione della Facoltà di Agraria di Grugliasco. Vinificata, l'uva Baratuciat ha evidenziato caratteristiche interessantissime. Nel medio periodo sviluppa sentori aromatici a metà strada fra il Sauvignon e il Gevürztraminer, mentre nel primo anno si presenta con profumo di frutti bianchi e una netta nota di miele di acacia. In quanto al nome (espressione della parlata piemontese-savoiarda della valle), questo deriverebbe dalla forma allungata degli acini, che assomiglierebbero a fatte di gatto.

ROVINE

• Baratonia, Varisella • Melusina a Peveragno • Il Castelletto di Settimo Vittone • Il castello di Nucetto • Il castello della Reino Jano a Montemale • *Villam Sancti Eusebii*, cioè Casteldelfino

Baratonia, Varisella

● I VISCONTI DIMENTICATI

Dove: *Antiquarium* in via Don Cabodi, 4 a Varisella; collina del Castlas presso Baratonia, Varisella (TO).
Accessibilità: ai ruderi del castello l'accesso è libero; la chiesa di San Biagio è aperta a febbraio in occasione della festa patronale; l'*antiquarium* è aperto nei mesi estivi e in occasione di mostre la domenica pomeriggio dalle 15 alle 18, altrimenti contattare il Comune, tel. 011 9249375, assessore@comunevarisella.to.it. Si sale ai ruderi in pochi minuti seguendo il sentiero che inizia alle spalle della chiesa. Dopo una curva nel bosco si raggiunge un ponte che, superato il fossato, conduce alla breve rampa che porta alle rovine.

Baratonia: un Comune soppresso nel 1870, un castello distrutto dai francesi all'epoca di Carlo IV, una nobile famiglia estintasi a metà del XV secolo. Era il 1441 quando Eleonora di Baratonia, ultima discendente della nobile famiglia di visconti torinesi, si sposò con un borghese, Guglielmo Arcour, portandogli in dote un feudo che comprendeva le valli di Lanzo, la valle Ceronda e Villar Focchiardo in val di Susa. Il nuovo signore, al vetusto e scomodo castello della moglie, preferì la più comoda residenza di Fiano, e la decadenza di Baratonia fu inevitabile. Uno dei primi documenti che ci parla della casata che per quattro secoli ebbe un'importanza rilevante nella storia del Piemonte è un placito del 1064 dove compare Vitelmo Bruno con la qualifica di *vicecomes*, il funzionario di grado più alto al servizio dei marchesi di Torino. Un'interessantissima mostra documentaria organizzata da Giancarlo Chiarle nel 1999 (il catalogo è ancora reperibile presso l'*antiquarium*) ha pro-

I resti di muraglie del castello di Baratonia e il sentiero risistemato
che dà accesso all'area del castello.

posto all'attenzione del pubblico una selezione di cinquanta documenti (tra gli oltre trecento esaminati) che hanno permesso di ricostruire le vicende di questa famiglia per molto tempo dimenticata. Del castello di Baratonia, il Castlas, non restano oggi che qualche muraglia, il basamento di una torre e le tracce di quella che era la cappella; una fitta vegetazione copre la collina sulla quale sorgeva in posizione dominante. All'epoca dei visconti l'aspetto del luogo doveva essere molto diverso: un giardino ben curato, vigneti e frutteti scendevano dal colle sino alla sottostante piana, dove si trovavano le sparse case del borgo. Di quell'insediamento non resta pressoché nulla e soltanto la chiesa di San Biagio, l'antica parrocchia officiata sino al 1680, ha resistito ai secoli. San Biagio era la pieve del villaggio, come tutte le chiese di quel tempo con l'abside rivolta a levante, e le era annesso il cimitero. Nel prato di San Biagio era anche amministrata la giustizia e vi si riunivano gli uomini dei borghi dipendenti

da Baratonia per giurare fedeltà al signore, come descritto in *Vallo. Frammenti di storia* di Marisa e Manuel Torello:

> In Baratonia, il 18 aprile 1452, vicino al cimitero della chiesa di San Biagio, nel luogo dove si amministra la giustizia, nove uomini di Monasterolo, tredici di Baratonia, venticinque di Varisella, e cinque di Vallo [...] in ginocchio e con le mani giunte tra le mani del signore, giurano fedeltà al nobile Guglielmo Arcatore, Visconte e nuovo signore di Baratonia [...] riconoscendosi suoi fedeli e buoni uomini ligi.

San Biagio, nonostante la scomparsa dell'insediamento e il trasferimento di molti dei suoi abitanti (l'attuale frazione di Baratonia si trova più in alto, nei pressi di un'altra chiesa, quella di San Rocco) ha continuato ad essere frequentata dagli abitanti del circondario. Agli inizi del Novecento, considerato troppo angusto, l'edificio fu ingrandito per decisione del parroco, abbattendo l'abside e cambiando l'orientamento della chiesa. Con l'abside furono distrutti anche gli antichissimi affreschi con gli apostoli, che il curato sosteneva non potessero essere conservati. Qualche traccia dell'antica decorazione, però, esiste ancora all'interno della chiesa, oggi ancora officiata, e il 3 febbraio (festa di San Biagio) vi si svolge la processione con la statua del santo.

Il vecchio ingresso della chiesa di San Biagio
e reperti ceramici esposti all'*antiquarium* di Varisella.

Al Castlass si arriva percorrendo la strada che da Fiano conduce al Truc di Miola (SP 181). Dopo circa 600 metri dal ponte sulla Ceronda e una breve salita, si devia a destra su una strada inghiaiata (non ci sono indicazioni se non i segnavia escursionistici). Si costeggia un campo, poi il torrentello e, dopo 300 metri, si giunge a un ampio spiazzo pianeggiate. La chiesa di San Biagio si trova proprio in mezzo alla confluenza tra due ruscelli, spesso in secca ma le cui piene possono essere devastanti. Forse è anche in seguito alle disastrose alluvioni che colpirono il bacino della Ceronda nei primi decenni del Cinquecento, con frane e smottamenti, che il castello fu abbandonato. Certo alla sua distruzione definitiva contribuirono i soldati francesi che occupavano in quel periodo buona parte degli stati dei Savoia. In cinque secoli di esistenza, però, a quanto sembra il maniero fu protagonista di un solo fatto d'armi, quando nel 1360 circa Amedeo VI (il Conte Verde) prese d'assalto il castello per estromettere Ugonino, bastardo di Savoia e vassallo di Giacomo d'Acaia con cui era in guerra. Integra la visita ai ruderi quella dell'*antiquarium*, inaugurato nella primavera del

2011 a Varisella, a fianco del municipio e di fronte alle scuole. Nel moderno ambiente espositivo si può assistere alla proiezione di un audiovisivo e vedere i reperti medievali del Castlas trovati negli anni Settanta del Novecento dall'associazione archeologica Valli di Lanzo. Vi sono contenitori per alimenti, pentole di terracotta e di pietra ollare, stoviglie dipinte e decorate che abbellivano la mensa dei signori, oltre a fibule, punte di freccia e ferri da cavallo. Alle

L'albero genealogico della famiglia dei visconti (*antiquarium*).
A sinistra, reperti archeologici provenienti dagli scavi del castello.

pareti sono esposti frammenti di affreschi dell'XI secolo ed è rappresentato l'albero genealogico della famiglia dei visconti.

Per saperne di più: Giancarlo Chiarle, *Dai Buratonia agli Arcour. Antica nobiltà e «genti nuove» mostra documentaria*, Biblioteca Civica di Varisella, Varisella 1999.

Melusina a Peveragno

● I RUDERI DI UN ANTICO CASTELLO, UN COLLEGIO ABBANDONATO E UNA LEGGENDA MEDIEVALE

Dove: frazione Madonna dei Boschi di Peveragno (CN).
Accessibilità: un sentiero conduce dal santuario della Madonna del Borgato alla sommità della collina dove si trovano i ruderi, coperti dalla vegetazione. Il sito è situato nella frazione Madonna dei Boschi di Peveragno, a un'altezza di 700 metri circa, al termine dell'antica «via morozza» (che collegava appunto queste terre a Morozzo). *www.comune.peveragno.cn.it/portale-turismo/attivita-turistiche/il-sito-di-forfice.*

Forfice è il nome dell'antico villaggio situato ai piedi della Bisalta da cui ha avuto origine l'odierna Peveragno, il paese delle fragole. Il borgo è citato in documenti del XII secolo e nella seconda metà del Trecento venne aggregato al nascente *Piperagnum*. Dell'insediamento facevano parte il *castrum*, che dominava dall'alto la zona, e il borgo non fortificato che scendeva verso il rio Borgarello. Del castello, situato a fini strategici in cima alla collina, oggi non restano che alcune tracce ed è conosciuto dalla gente del posto come «*Castèl ëd Mariabìssoula*». Forfice, con buona probabilità, sorse allo scopo di presidiare l'importante via di comunicazione diretta in Provenza. Il suo nome (*Forfece*) compare per la prima volta nel 1153 ma l'insediamento è molto più antico. Il toponimo deriva dal fatto che il villaggio fosse situato nel punto dove la valle del Josina, il torrente che bagna Peveragno, si biforca appunto a forbice (*forfex*, in latino). A partire dal XIV secolo Forfice scompare dai documenti, che citano solo più Peveragno. Il nuovo centro abitato, situato più a valle, si sviluppò in fretta, aumentando la propria importanza con il trasferimento dei signori del luogo. In tempi più recenti, con l'abbandono della montagna l'antico sito fu quasi del tutto dimenticato e negli ultimi decenni la vegetazione ha avuto il sopravvento. Rimangono visibili i ruderi del *castrum*, una piccola parte delle mura

Un tratto di muro superstite del castello di Forfice
e la chiesa di San Giorgio Vecchio con il campanile orientaleggiante.

La struttura di base di una delle torri.
In basso, rappresentazione medievale di Melusina nella pieve di Canova in Toscana.
A destra, riproduzione dell'affresco di San Giorgio Vecchio, particolare.

di cui s'individuano ancora le feritoie, tracce del fossato difensivo e, in basso, la cappella di San Pietro, un tempo affrescata. Quest'ultima, in base a scavi effettuati negli anni Sessanta del secolo scorso, era la probabile sede del cimitero.
Sotto le rovine di Forfice si trova il santuario della Madonna del Borgato (è chiaro il riferimento all'antico borgo), con accanto quello che era un collegio-seminario salesiano, costruito oltre cinquant'anni fa, chiuso nel 1981 e oggi abbandonato. L'ingombrante struttura, ben visibile anche da Peveragno, sta seguendo l'infelice sorte di Forfice.

Ai resti del castello è legata una leggenda che rappresenta una delle varianti (la più meridionale nell'area europea) del mito di Melusina, magica fata nota nel Medioevo. La leggenda locale narra di una fanciulla bellissima, conosciuta come Mariabìssoula, che aveva accettato di sposare il principe di Forfice, promettendogli grandi fortune a patto che non cercasse mai di vederla il sabato. Per qualche anno tutto procedette bene, poi il nobile sposo non resisté più alla tentazione di conoscere il segreto della moglie: così, un sabato, si recò nelle sue stanze per spiarla, scoprendo con raccapriccio che si era trasformata in un mostro per metà donna e per metà serpente. Mariabìssoula, vistasi scoperta, fuggì maledicendo il marito e in poco tempo casato e castello di Forfice caddero in rovina. Ma se nella versione originaria Melusina ricompare ogni volta che una disgrazia sta per colpire familiari o possedimenti del marito curioso, nel racconto peveragnese Mariabìssoula, sotto sembianze di rettile (il termine *bìssoula* richiama in qualche modo la biscia), continua ad aggirarsi intorno ai ruderi di Forfice e, se un giorno un giovane oserà baciarla, riprenderà fattezze umane. Non solo, ma il giovane diventerà principe e il castello tornerà all'antico splendore.

Un altro luogo a Peveragno merita una breve visita (oltre al paese stesso). Proprio sulla collina di fronte a Forfice, Montrucco (in cima, nel punto più panoramico si trova una delle tante panchine giganti, l'unica a essere anche orologio solare), uno sterrato sale alla chiesa di San Giorgio Vecchio. Costruita su quello che doveva essere un remoto luogo di culto, verso valle la muratura poggia su una roccia coppellata. All'interno conserverebbe alcuni interessanti affreschi che, scoperti per caso all'inizio degli ultimi anni Novanta, sono stati subito vandalizzati come sovente capita al nostro patrimonio artistico. Purtroppo il San Giorgio ha perso la testa e la principessa, scampata al drago grazie al prode cavaliere, è stata addirittura «rapita». Ignoti ladri, con grande abilità e perizia, hanno staccato il dipinto, asportandolo. Una riproduzione dell'affresco, però, è visibile sul muro di una casa, in paese.

Per saperne di più: Franco Delpiano, Fausto Giuliano, *Masche Fäie Servan*, Primalpe, Cuneo 2011.

Il Castelletto di Settimo Vittone

● I RUDERI DEL CASTELLO DI CESNOLA

Dove: in cima al dosso roccioso a nord dell'abitato di Cesnola, a sinistra della mulattiera n. 852 che conduce a Torre Daniele (TO).
Accessibilità: l'accesso all'area su cui sorgono le rovine (di proprietà privata) è libero. Lo stato di conservazione delle strutture sconsiglia di avventurarsi all'interno del recinto fortificato, meglio accontentarsi di osservare il sito dall'esterno con la dovuta attenzione a non cadere di sotto. Usciti dal paese e lasciata a sinistra la chiesa di Sant'Agata si costeggia il ruscello, quindi si attraversa il ponte e al primo bivio si va a sinistra. Si costeggiano dei vigneti poi, con una breve rampa, si passa a fianco di una cascina e poco oltre, in cima alla salita, un sentierino sulla sinistra conduce ai ruderi.
http://archeocarta.org/settimo-vittone-to-ruderi-castello-cesnola.

Ben visibili percorrendo l'autostrada, i ruderi del Castelletto incombono dall'alto della rupe sul sottostante borgo, Cesnola, un tempo Comune autonomo e ora parte di Settimo Vittone. Le rovine dell'edificio non passano inosservate, anche se un tempo, a quanti percorrevano la via Francigena diretti ad Aosta e ai passi alpini, doveva suscitare ben maggiore riverenza. Di origine altomedievale, il Castelletto è coevo ai molti altri fortilizi valdostani e sorse in un'epoca in cui il controllo delle vie di comunicazione garantiva importanti rendite. Le vicende storiche del maniero di Cesnola sono analoghe a quelle di altri nella zona, come Castruzzone o Montestrutto, ed esso ebbe un certo ruolo nella cosiddetta «guerra delle macine», che contrappose i signori d'Ivrea e i vescovi-conti di Vercelli. Può far sorridere parlare di un conflitto per delle mole, ma il commercio di queste, specie se di buona qualità come quelle ricavate da certe cave savoiarde, costituiva un importante introito. I mulini erano fondamentali e ogni villaggio aveva il suo, controllato dal signore locale; le macine si usuravano in fretta e nelle zone prive di cave idonee dovevano essere importate, accompagnate da dazi e gabelle.

Le informazioni relative al castello sono frammentarie e lacunose, pochi sono i documenti che lo menzionano. Il nome della località di Cesnola, secondo uno storico locale, deriverebbe dalla voce cel-

L'inizio della mulattiera che sale alle rovine e le possenti mura del castello.

tica *Cassanus*, ovvero «quercia». I primi riferimenti certi a questa località si trovano in un documento del 1042, nel quale, come dote dell'abbazia di Santo Stefano d'Ivrea, si parla di un «massaritium unum cum sedimine, casis, cascinis, campis, vineis, pratis, boschis, buscaleis, cum omne onore et integritate in Cisnolis».

Il territorio venne assegnato ai signori di Settimo Vittone. In un documento del 1180 il vescovo di Vercelli infeuda il Castelletto a Roberto di San Martino, con l'obiettivo di evitare la tassa imposta da Ivrea sulle macine da mulino realizzate in Valle d'Aosta; l'idea era quella di far transitare le mole per il Castelletto e poi trasferirle a Bollengo, dove si trovava un'altra fortificazione vercellese. Ma l'imbroglio venne scoperto e gli eporediesi distrussero l'avamposto di Cesnola. A differenza di altri castelli, come il vicino Montestrutto, il Castelletto non fu restaurato e neppure beneficiò delle ricostruzioni quasi hollywoodiane (con molti difetti ma anche qualche pregio) operate dal D'Andrade, l'architetto portoghese che progettò il

Borgo Medievale di Torino e che mise mano ai manieri di Pavone, Montalto Dora e Fénis.
La parte più antica di ciò che rimane è il grande torrione di pietra (il «maschio» o «dongione») risalente all'XI secolo circa; ha una pianta quadrata di cinque metri di lato e mura di spessore superiore al metro; la porta d'accesso, con volta a tutto sesto, si trova a parecchi metri da terra per ovvi scopi difensivi (la scala in legno veniva ritirata in caso di pericolo). Attorno a questa torre si formò il primo nucleo del castello, poi ampliato durante i tre secoli successivi, sino a raggiungere un perimetro di 175 metri. Interessante è notare come la merlatura, da ghibellina, fu resa guelfa in un secondo tempo grazie allo riempimento delle «code di rondine» con delle pietre, ma in modo poco curato rispetto all'esecuzione delle altre strutture. L'ipotesi che potrebbe spiegare tale trasformazione è che, avendo l'imperatore revocato il diritto dei feudatari locali di esigere il pedaggio da chi transitava sulle loro terre, questi abbiano presto cambiato fazione.
In epoche più recenti, nel XVI secolo, Carlo III di Savoia smantellò il castello per motivi militari, in modo che non potesse costituire un ostacolo al passaggio degli eserciti alleati (stessa sorte toccò a Montestrutto). I signori del tempo però gli fecero causa e il duca sabaudo dovette ricostruirlo a proprie spese. Gli ultimi titolari del feudo di Cesnola furono i Palma, che l'ottennero a fine Settecento; alcuni di loro furono personaggi piuttosto noti come Luigi, archeologo, che oltre a ricoprire la carica di console statunitense a Cipro fu anche direttore del Metropolitan Museum of Art di New York. Giulio Palma di Cesnola fu invece ufficiale di cavalleria, grande amico di Gabriele D'Annunzio.

Durante la breve salita al castello si possono notare i caratteristici *tupiun*, i pergolati per le viti sorretti da colonne di pietra. Le vigne danno in prevalenza nebbiolo, qui usato per il Canavese DOC; a poca distanza, sempre dal nebbiolo, si producono il Carema (la Bottega dei Produttori consente degustazioni)

I pilastrini litici usati come supporto per le vigne
e un pozzo tra i vigneti lungo il sentiero di salita. A sinistra, uno scorcio del «Castelletto».

e il valdostano Donnas. La scelta delle colonne in pietra non è dovuta alla carenza di legname e nemmeno a gusto estetico: la pietra, incamerando calore di giorno e restituendolo di notte, contribuisce a una migliore maturazione delle uve. Il particolare microclima di questa zona, oltre che alla vite, è favorevole anche a un buon numero di olivi, tant'è che a Montestrutto esiste da qualche anno un frantoio consortile dove si fa l'olio.

Il castello di Nucetto

● TRENI E CASTELLI SUL TANARO

Dove: via Roma (castello) e via Lungo Tanaro, 10 (museo), Nucetto (CN).
Accessibilità: in auto dal centro comunale di Nucetto seguendo le indicazioni per Villa. Il castello è oggi visitabile e liberamente accessibile. Lo stato di conservazione non molto buono impone una certa prudenza. Per visitare il museo ferroviario bisogna invece contattare in orario d'ufficio il Comune di Nucetto (tel. 017 474112) oppure approfittare dei giorni che vengono dedicati ogni anno alle visite guidate, consultando il sito comunale *www.nucetto.net/archivio/pagine/Museo_ferroviario_della_linea_Ceva_Ormea.asp*.

Tra gli edifici storici della val Tanaro uno dei più suggestivi è il castello di Nucetto, ben visibile sulla collina che domina il territorio comunale (il paese sorge sulle rive del Tanaro, 150 metri più in basso). L'edificio, oggi diroccato, ebbe in passato una notevole importanza strategica. La sua origine si colloca attorno all'anno Mille, ai tempi del regno di Arduino. In seguito passò sotto il controllo dei marchesi del Vasto, un ceppo della grande famiglia degli Aleramici, ai quali l'imperatore Ottone di Sassonia donò vasti possedimenti nel Piemonte meridionale e in Liguria. Con la divisione dei domini di Bonifacio del Vasto, Nucetto toccò ad Anselmo, il primo dei marchesi di Ceva. Sotto il marchesato il castello venne ingrandito e abbellito, in particolare dal marchese Giorgio II, detto «il Nano». Fu danneggiato negli scontri del 1414 tra il marchesato e l'esercito del primo duca di Savoia, Amedeo

Il castello di Nucetto a fine inverno e vista dal fondovalle.

Archetti pensili in laterizio; sotto, la chiesa dei Santi Cosma e Damiano.
A destra, interno del castello e il museo ferroviario.

VIII. Al termine delle ostilità i Nucetto di Ceva, rientrati in possesso del fortilizio, lo restaurarono. Nel 1531, insieme alla contea di Asti, il castello e la zona circostante andarono in dote a Beatrice di Portogallo e, dopo il suo matrimonio con Carlo II di Savoia (1535), passarono a far parte dei domini sabaudi. Tra il 1794 e il 1795 l'edificio venne ancora coinvolto nella campagna napoleonica d'Italia. Nel 1802, dopo la conquista del Piemonte, fu poi quasi del tutto distrutto insieme a vari altri edifici fortificati del Cebano, per impedire che venisse utilizzato in funzione antifrancese.

Accanto al castello sorge la chiesa dei Santi Cosma e Damiano, che conserva tracce di affreschi del XV secolo. La chiesa è oggi sconsacrata, perché la parrocchia è stata trasferita a valle nel 1897, in una chiesa dedicata a Santa Maria Maddalena. I ruderi del castello e la chiesa fanno parte del Circuito dei Castelli dell'Alta Val Tanaro e, grazie alla posizione rilevata, offrono un buon punto di vista sulla val Tanaro e su alcuni dei manieri della zona, a partire da quello di Bagnasco, situato a pochi chilometri di distanza e anch'esso in posizione dominante. La visita del castello può essere abbinata a quella del museo storico di Nucetto e dell'Alta Val

Tanaro, allestito dal 2011 sulla riva destra del fiume presso la vecchia stazione ferroviaria, apposta restaurata. Il suo scopo principale è illustrare, tramite materiale d'epoca e pannelli didattici, la storia della linea ferroviaria Ceva-Ormea, che per anni costituì la spina dorsale dei trasporti locali.

Il castello della Reino Jano a Montemale

● LA DAMA BIANCA E IL CAVALIERE FANTASMA

Dove: nei pressi di Ruata Argillosa, Montemale (CN).
Accessibilità: libera. Dalla strada Dronero-Montemale si raggiunge Ruata Argillosa. Uno sterrato che inizia al bivio della via conduce alle case e in pochi minuti alle rovine.

Montemale è un piccolo paese situato in cima a un dosso, sulle montagne tra la val Grana e la val Maira. Ci si arriva da Dronero passando per il santuario di Ripola o per il paese di Valgrana. Un paio di ristoranti e un castello, poche decine di abitanti: tutto qui. La ricchezza del paese sono i boschi, dove cresce bene e può essere coltivato il tartufo nero, meno pregiato del più rinomato cugino «bianco», ma non certo da disprezzare. Nelle radure, qua e là, è dato d'incontrare la rara *Pulsatilla montana*, non comune ranuncolacea dai bei fiori violetti, che vive anche a quote elevate, ma che nella val Maira è segnalata solo qui.

Il castello, che si erge massiccio a dominare il paese, è una ricostruzione degli ultimi anni Trenta, sorta sulle rovine di una fortezza molto più antica. Già citato in documenti del XII secolo, il castello originario fu coinvolto in diversi assedi e fatti d'arme, finché alla fine del Seicento venne abbandonato. Come accaduto a molti luoghi storici, fu utilizzato come cava per materiali da costruzione. Nel 1933 fu acquistato dall'ingegnere saluzzese Alessandro Savio, essendo il suo precedente proprietario (il conte Manfredo di Saluzzo) oberato dai debiti. L'ingegnere ricostruì l'edificio utilizzando in parte le antiche murature e seguendone lo sviluppo. Adibito ad albergo con il nome di «Castelsavio Roccaforte», durante la guerra ospitò alcuni ufficiali prigionieri e alla morte di Savio fu donato alla curia di Genova.
Come a proposito di molti altri luoghi, anche riguardo al castello di Montemale si narra di sotterranei che pare fossero collegati alla pianura da una lunga galleria, tanto ampia da poterci passare la carrozza dei *dusou*, cioè dei signorotti che occupavano il maniero, spadroneggiando sulla zona. Ma c'è di più, perché nelle stanze si aggirerebbe ancora il fantasma di un nobile cavaliere, con tanto di sferragliante armatura, indicato come uno dei tanti sventurati amanti della Reino

I ruderi del castello della Reino Jano. A sinistra, *Pulsatilla montana.*

Jano, cioè la regina Giovanna d'Angiò. La regina non sarebbe altri che la Dama Bianca, la quale alcuni vedono aggirarsi ancora tra le rovine di un altro castellaccio, molto più antico di quello di Montemale, i cui ruderi si possono vedere in cima a un costone che scende verso Dronero, nei pressi di Ruata Argillosa. Per gli abitanti, quello è il castello della Reino Jano. Si tratta di pochi resti: qualche muraglia, fossati, tracce di finestre e di ambienti invasi dalla fitta vegetazione. Forse, agl'inizi della sua esistenza, era solo una torre di avvistamento edificata al tempo dei saraceni (i documenti sono molto avari in merito). Tra i ruderi si vedrebbe talvolta anche un cavaliere con la corazza ricoperta di scaglie verdi. Si racconta infatti come sia vissuto in questo castello un gran personaggio, un autentico *dosou* (che si suppone lo stesso di Castelsavio) dall'armatura di smeraldo e del

I pochi resti del castello in cui si aggirerebbero il fantasma della regina e del cavaliere. Contorto albero cresciuto sulle rovine.

quale s'invaghì la bella Giovanna. La storia dei due amanti continuò per un certo tempo, sino a quando la regina decise di lasciarlo. Il cavaliere, non reggendo all'abbandonò, si suicidò. Dopo qualche tempo, pentita, Giovanna ritornò e, non trovando più l'amato, divenne anch'essa un fantasma, quello della Dama Bianca. Ma chi era questa regina Giovanna che tante tracce ha lasciato nell'immaginario collettivo delle genti al di qua e al di là delle Alpi? Scipione Mazzella, storico e scrittore napoletano così c'è la descrive: «Giovanna fu di bellissimo aspetto, di faccia allegra e maestosa, con capelli biondi, color roseo, occhi grandi e neri, naso un poco in su, fronte larga e serena, ciglia arcuate, orecchie piccole».

Contessa di Provenza e di Forcalquier e con importanti domini anche nel Cuneese, fu regina di Napoli, nipote di re Roberto d'Angiò ed ebbe vita assai movimentata. Le sue turbolente vicende coinvolsero mezza Europa nei decenni centrali del Trecento. Ebbe quattro mariti e innumerevoli amanti. Sposata giovanissima con il cugino Andrea d'Ungheria, a 17 anni era già una sovrana. Quando il marito fu assassinato in una faida di palazzo, venne sospettata d'essere in combutta con i congiurati e si recò ad Avignone, nei suoi possedimenti provenzali, per chiedere l'aiuto del papa. Fu questa l'unica volta in cui Giovanna si recò nelle sue terre d'origine ed è difficile che nei pochi mesi della sua permanenza d'Oltralpe abbia potuto recarsi nelle valli cuneesi. Dopo guerre, riappacificazioni, tradimenti, intrighi e 40 anni di regno, fu catturata dal figlioccio Carlo di Durazzo, imprigionata a Muro di Lucania e vi morì, decapitata o strangolata, nel 1384. Se c'è un personaggio rispetto al quale la leggenda travisa la realtà, è proprio Giovanna, che nella contea pro-

venzale governò con saggezza e giustizia, mentre nell'immaginario popolare fu una seduttrice viziata e malvagia (e i quattro mariti morti prima di lei non giovarono certo alla sua reputazione).
Alla costruzione della sua immagine negativa ha contribuito forse anche la confusione con un'altra Giovanna, sua nipote: si tratta di Giovanna II, regina di Napoli, assai poco amata dai suoi sudditi e di cui si diceva tenesse nel suo castello partenopeo dei coccodrilli grazie ai quali si sbarazzava degli amanti divenuti troppo ingombranti.
Per raggiungere il castello della Rejna Jano, da Montemale bisogna dirigersi verso Dronero, deviando a destra per Ruata Argillosa. Quando la strada si biforca, poco prima della frazione, si parcheggia e si prende a piedi un viottolo in leggera discesa. In pochi minuti, superata una casa, si giunge ai ruderi del maniero. Non c'è molto da vedere ma con la fantasia si può tornare ai tempi della controversa Giovanna.

Villam Sancti Eusebii, cioè Casteldelfino

● UNA CHIESA ROMANICA E I RUDERI DEL CASTELLO DELFINALE

Dove: Casteldelfino, imbocco del vallone di Bellino (CN).
Accessibilità: libera ai ruderi del castello, per la chiesa (di solito chiusa) rivolgersi al Comune, tel. 0175 95126. Dalla circonvallazione del paese, seguendo le indicazioni per l'agriturismo, si scende ad attraversare il Varaita. Un sentiero a destra sale ai ruderi del castello, mentre procedendo nel fondovalle si giunge nei pressi della spianata dove si trova la chiesetta.

Il nome *Casteldelfino* deriva dal fatto che il paese fu capoluogo della Castellata, uno degli Escartons che fece parte del Delfinato sino al 1713, quando assieme ad altri territori (in seguito

Il campanile della parrocchiale di Casteldelfino e quello caratteristico di Sant'Eusebio.

al trattato di Utrecht) fu barattato dai Savoia con l'Ubaye. L'antico nome del paese, documentato a partire dal X secolo, era *Villam Sancti Eusebii*, con riferimento alla dedicazione della chiesa. Appartenne dapprima al marchesato di Saluzzo poi, dopo la parentesi degli Escartons e del Delfinato, pur conservando prerogative e consuetudini, passò al regno di Francia. La Castellata, di cui Casteldelfino era il centro principale, comprendeva anche i territori di Pontechianale e Bellino ed era terra di confine di grande importanza militare e commerciale per il controllo delle storiche vie di collegamento con le terre d'Oltralpe. Assai frequentata era quella denominata «chemin royal», che attraversava il villaggio di Chianale e saliva al colle dell'Agnello per ridiscendere nel Queyras. Fu il delfino Umberto II, l'ultimo degli Ambon, che nel 1336 fece erigere un castello sul colle che dominava il borgo. Quando nel 1391 un'alluvione del Varaita spazzò via la parte del paese che sorgeva ai piedi della rocca, gli abitanti preferirono riedificare le loro case nel luogo del paese attuale. Dall'inondazione di salvò solo Sant'Eusebio, chiesa intitolata al primo vescovo del Piemonte, che dalla nativa Sardegna aveva raggiunto la regione pedemontana installandosi a Vercelli e considerato il fondatore del santuario di Oropa. Però, con il trasferimento del borgo, la funzione della chiesa si ridusse a quello di cappella campestre, perché sostituita dalla nuova parrocchiale di Santa Margherita.

L'abside di Sant'Eusebio. In basso e a destra, i ruderi del castello delfinale e i pochi resti della sua torre.

A differenza del castello, Sant'Eusebio è giunta sino a noi nelle sue sobrie forme romaniche: ha un piccolo campanile a vela trilobato e un bel portale sormontato da un architrave megalitico. Il portale non è situato in facciata bensì di lato, per la necessità di adattarsi alla morfologia del luogo. Sulla mensola di destra si trova una scultura rappresentante un telamone, il corrispettivo maschile della cariatide. L'interno è a navata unica, con abside quadrangolare, e in un lontano passato era affrescato, ma di quelle pitture non restano che poche tracce. La chiesa è stata oggetto, dal 1998 al 2004, di una serie d'interventi di consolidamento, risanamento, recupero e restauro architettonico che ne hanno permesso una rinnovata fruibilità come centro di documentazione sulla religiosità popolare.
Del sovrastante castello, di cui rimangono solo i ruderi, abbiamo notizia grazie al resoconto contabile stilato da un funzionario delfinale nel settembre del 1336 e oggi conservato presso gli archivi dell'Isère, a Grenoble. L'edificio principale di cui si conservano oggi le tracce era il *palacium*, alto in origine 23 metri, e il sacerdote Claudio Allais, nel suo libro *La Castellata. Storia dell'alta valle di Varaita (circondario di Saluzzo)* del 1891, lo descrive così:

> Al primo piano vi è una cucina con corpo di guardia e armeria. Il secondo piano è formato da un'unica vastissima sala-dormitorio illuminata da

ben 16 finestre, quattro per lato. Al terzo piano, il solaio. Tutto attorno al castellaccio, di forma quadrata, c'è un cortile recintato da mura che poggiano su paurosi strapiombi. Un ponte levatoio pone in comunicazione il palazzo con un'altra costruzione che sorge su un piccolo sperone roccioso, un torrione che sovrasta il castello, posto di osservazione ed estrema difesa della guarnigione.

Il castello dopo alterne vicissitudini (nella sua torre adibita a carcere furono tenute prigioniere diverse donne accusate di stregoneria), la vigilia di Natale del 1528, ospite Margherita di Foix, fu preso d'assalto da un'ottantina di mercenari per liberare tal Marco Passerano e la convivente, partigiani del diseredato terzogenito dei Saluzzo. L'edificio fu infine distrutto dalle truppe del duca di Savoia Vittorio Amedeo II nel novembre del 1690.

Per saperne di più: Isabel Ottonelli (a cura di), *Un castello ritrovato*, associazione culturale Jer a la Vilo, Casteldelfino 2006.

SANTUARI
E LUOGHI DI CULTO

• Santa Maria di Doblazio e il monte Oliveto • La Madonna dell'Incesa (Beata Vergine dell'Assunta), nelle terre del Bramaterra
• Il convento di San Francesco a Susa
• L'oratorio di San Sebastiano a Roncole di Postua • Il santuario di Prascondù
• Il santuario della Madonna della Bassa • Il santuario del Fontegno

Santa Maria di Doblazio e il monte Oliveto

● LA PIÙ ANTICA CHIESA DELLA VALLE DELL'ORCO E UN INSEDIAMENTO PREISTORICO

Dove: borgata Santa Maria, 18, Pont Canavese (TO).
Accessibilità: la chiesa e la cripta sono sempre aperte, l'arca di monte Oliveto è di libero accesso. Si arriva alla chiesa da Pont Canavese, percorrendo la strada provinciale che conduce a Frassinetto per circa 2 chilometri. Parcheggio nel piazzale a destra, con fontanella.

Risalendo la valle dell'Orco, giunti nei pressi di Pont (il romano *Ad duos pontes*), non passa inosservato il complesso di edifici religiosi addossato allo sperone del monte Oliveto che si protende verso la valle. Si tratta di Santa Maria di Doblazio (i De Doblazio erano una famiglia feudale che signoreggiava su questi luoghi) che, risalente al VII secolo, è considerata la più antica delle pievi della valle, dalla quale si sarebbero originate tutte le altre. È molto probabile che in questo luogo esistesse già un sacello pagano e che l'attuale chiesa, della fine del Quattrocento, si sia sostituita alle strutture più antiche, ancora celate nelle fondamenta. I documenti storici più antichi risalgono solo al 1585 ma si racconta che su queste montagne Arduino abbia sostenuto l'assedio delle truppe imperiali e che per riparare ai loro danni donasse alla pieve 100 giornate di terreno. Il mito fondativo di Santa Maria è legato a una leggenda, del tutto analoga a quelle che si raccontano in altri luoghi. Secondo questo racconto, i signori locali erano intenzionati a costruire una cappella ma non riuscivano a iniziare l'opera perché, nel luogo prescelto, il cantiere era di continuo messo a soqquadro. Decisero allora

L'antica chiesa di Santa Maria di Doblazio.

di cambiare posto, facendolo scegliere a una mula bianca, lasciata libera di fermarsi con tutti gli attrezzi sul basto dove meglio avesse creduto. E fu proprio sul *Montej*, il monte Oliveto, che l'animale si arrestò lasciandovi le proprie impronte, ossia le coppelle sul masso erratico che si trova in cima al costone.

La roccia coppellata del sito archeologico del monte Oliveto e l'ingresso enigmatico della chiesa.

Nel corso della sua storia Santa Maria è stata più volte rimaneggiata e trasformata. La parte più antica, tralasciando i misteriosi sotterranei, è quella del campanile circolare, che risalirebbe all'XI secolo e che in origine doveva essere una torre di guardia. Fu chiesa parrocchiale di Pont sino al 1879 e vi furono attive diverse confraternite. Sino in anni recenti, il Venerdì Santo vi andava in scena una Passione molto popolare tra gli abitanti della bassa valle dell'Orco.

Per visitarla, dal piazzale si sale la scalinata e si accede al terrazzo, dal quale si ha una bella vista panoramica su Pont e le sue torri feudali. Superato l'ingresso, l'edificio rivela subito le sue peculiarità. L'unica navata ha pianta irregolare, con la parete di fondo obliqua, ed è divisa a metà da una colonna litica che sostiene l'arco di volta. Un'altra anomalia è la presenza di due altari affiancati, davvero una stranezza in una chiesa a navata singola. L'altare di destra è dedicato alla Beata Vergine delle Grazie ed è sovrastato da un affresco del Quattrocento con la Vergine nel gesto di aprire le braccia in segno di accoglienza, mentre quello di sinistra è dedicato all'Assunta. Il presbiterio è separato dal corpo centrale mediante una cancellata in ferro battuto, che gli abitanti di Frassinetto e di Pont offrirono alla chiesa nel 1661. All'interno della chiesa si trovano al-

tri due altari con dedicazione mariana, uno dedicato alla Madonna Nera di Loreto e l'altro alla Madonna del Carmine. Il fianco sinistro dell'edificio ospita inoltre l'altare di Santa Lucia e quello di San Rocco, con una statua realizzata nel periodo della pestilenza del 1630 di manzoniana memoria; il santo era infatti invocato dal popolo come protettore dal morbo. La devozione a santa Lucia, protettrice della vista, è invece da collegarsi al lavoro dei tessitori, che abusavano degli occhi per controllare nei dettagli l'opera del telaio. Questa devozione era molto sentita nella zona, tanto che tutti i dipendenti della manifattura Mazzonis (la grande industria tessile insediatasi a Pont sul finire dell'Ottocento per sfruttare le risorse idriche locali) assistevano insieme alla celebrazione della messa in onore della santa, che la Chiesa festeggia il 13 dicembre. Nella sacrestia, infine, si può osservare una piccola urna in marmo che Amedeo VIII, il Conte Rosso, donò alla chiesa nel corso di una visita ai conti del Canavese. Ritornati all'esterno si contorna la chiesa e si piega a sinistra in uno stretto passaggio porticato che conduce al retro dell'edificio. Alcuni scalini e una bassa apertura conducono all'inquietante cripta-ossario (l'interruttore della luce è situato a sinistra dell'ingresso). Al fondo del locale, dietro le vetrate, centinaia di ossa umane sono impilate per bene.

Le torri medievali di Pont Canavese viste da Santa Maria.
A destra, l'inquietante cimitero abbandonato e la lugubre cripta-ossario.

Si torna quindi al parcheggio e, percorsi pochi metri sulla provinciale, si devia a destra (indicazioni per la borgata Sangiapiana). Un centinaio di metri più avanti, sulla sinistra, vi è l'antico cimitero, in un desolante stato di abbandono. Questo camposanto, realizzato per soddisfare l'editto napoleonico che imponeva di allontanare le sepolture dai centri abitati, restò in uso sino al 1929. Sulla destra della strada, dopo circa quaranta metri dal suo imbocco, s'individua un sentierino che sale ripido verso la sommità della collina boscosa; in cinque minuti di cammino si giunge in un ombroso avvallamento dove si trovano panche e tavoli (i cui giorni migliori sono lontani). Continuando a seguire la traccia nella vegetazione ci si affaccia poi sul versante della valle Orco dove, sulla sinistra, si trova un grande masso erratico tabulare. Addossato al masso vi era un insediamento preistorico che è stato scavato dagli archeologi. Una ricostruzione del sito è visibile nel museo della Preistoria del Canavese, a Cuorgnè.

La Madonna dell'Incesa

(Beata Vergine dell'Assunta), nelle terre del Bramaterra

● UN PAESE TRA BOSCHI E VIGNE, UNA SORGENTE MIRACOLOSA, UN SANTUARIO MARIANO DEL XVII SECOLO

Dove: strada Scaravelli, Lozzolo (VC).
Accessibilità: la chiesa è di solito chiusa. Falò e processione a fine maggio, messa la prima domenica di luglio e il 15 di agosto (Ferragosto).
Dal paese seguire le indicazioni turistiche per la Beata Vergine dell'Assunta.

Le sorgenti hanno sempre avuto una grande importanza nella storia dell'uomo e delle civiltà. La presenza di acqua fresca e potabile consentiva d'insediarsi con stabilità e anche un minimo di sicurezza. Però non sgorga dappertutto e le sue vie sono imperscrutabili e imprevedibili; soltanto un attento studio e una sapiente ricerca permettono d'individuarla per portarla alla luce. Si dice che le acque vibrino e che spiriti abbastanza sensibili possano avvertirne la presenza; all'acqua, a torto o a ragione, sono attribuiti ampi poteri (quante delle attuali acque in bottiglia rivendicano virtù terapeutiche?). Ma acque addirittura miracolose sgorgano in luoghi a volte improbabili, a volte inspiegabili: è il mistero che le circonda a renderle magiche.
In Piemonte, terra di gente pratica poco avvezza a riflessioni troppo complicate, non troviamo sorgenti mitiche o sacre, ma ve ne sono che furono oggetto di culto. Che siano molto antiche lo dimostra il fatto che presso di esse siano poi stati costruiti edifici cristiani. Per esempio, allo sbocco della Valsesia, ormai in pianura, esistono la Madonna della Fontana di San Nazzaro Sesia o di Crevacuore e la Madonna dell'Annunziata di Lozzolo (quest'ultima, in passato, era però nota come Madonna dell'Incesa).
Lozzolo è un piccolo paese sulle colline tra Gattinara e Cossato, quasi al centro del comprensorio vinicolo locale. Un poco di vino, tra tanta acqua, sta comunque bene; qui, con nebbiolo, vespolina, croatina e uva rara si produce il Bramaterra, una delle numerose DOC piemontesi, e dai produttori locali se ne può acquistare qualche buona bottiglia. Per giungere al santuario basta seguire le evidenti indicazioni e oltrepassare il centro abitato. Lasciato un ponte sulla destra, si continua in un'ombrosa valletta sino a un ampio spiazzo. Lì c'è una grotticella con una statua della Madonna, mentre se si scende sulla destra si possono vedere al livello di campagna due aperture con la volta piuttosto bassa. Da quella di sinistra fuoriesce il ruscello che passa al di sotto della parte absidale della chiesa con percorso sotterraneo, mentre in quello di destra, una volta abituatisi all'oscurità, s'intravede una fonte. Secondo la tradizione locale

Il santuario della Madonna dell'Incesa e i vigneti del Bramaterra.

Il Museo del Bramaterra a Villa del Bosco.
A sinistra, il ruscello che scorre al di sotto dell'abside del santuario e la fonte.

questa sorgente avrebbe proprietà miracolose, tanto che Margherita III di Rho, contessa di Lozzolo, durante la sua ultima gravidanza, intorno al 1642, volle far edificare in questo luogo un edificio religioso. In un recente studio dedicato ai signori del paese si è interpretato il misterioso termine *Incesa* come derivato dal latino a significare «incinta». Si tratta di una titolazione rara per un luogo sacro, ma non unica. Nel meridione della Francia alcune chiese custodiscono infatti simulacri di vergini gravide. I lozzolesi continuano a essere legati al santuario, anche se oggi è dedicato all'Annunciazione, la cui ricorrenza cade il 25 marzo, cioè nove mesi prima del Natale.

Alle spalle della chiesa due mulattiere, antiche vie di comunicazione, sono oggi parte degli itinerari della Comunità Collinare Aree Pregiate del Nebbiolo e del Porcino.
Nel castello di Lozzolo è ospitata un'enoteca, nella frazione Villa del Bosco di Sostegno si trova invece il museo del Bramaterra, dedicato al vino locale, aperto di norma la domenica pomeriggio.

Per saperne di più: Loris Delmastro, *Lozzolo, note storiche*, 2010; *Vittorio Avondo e Lozzolo*; Carlo Angelino Giorzet, *Lozzolo e i signori del castello di Loceno*, 2014. Per reperire i volumi: info@loxolensis.it.

Il convento di San Francesco a Susa

● UN ANOMALO INSEDIAMENTO FRANCESCANO

Dove: piazza San Francesco, 3, Susa (TO).
Accessibilità: contattare la Casa per ferie San Francesco, tel. 0122 622548; info@sanfrancescosusa.it; *www.sanfrancescosusa.it.*

Era il 1214 quando Francesco, in viaggio con altri frati minori verso Santiago (il Moncenisio era all'epoca una via quasi obbligata per la Francia), sostò a Susa, presso Beatrice di Ginevra, moglie del conte di Savoia Tommaso I e che all'epoca teneva corte nel castello già della marchesa Adelaide. All'ospite, poverello ma già illustre, Beatrice donò un terreno, autorizzandovi la costruzione di un convento per i suoi confratelli. La fondazione era in un certo senso anomala, in quanto all'interno dell'arco alpino e non ai piedi del medesimo, com'era avvenuto per altre nella stessa area. In tale occasione Francesco avrebbe donato alla contessa, in segno di riconoscenza, una manica del suo saio. Tale reliquia, dopo essere stata conservata a Susa e poi, a lungo, nella Sainte-Chapelle di Chambéry, è oggi custodita nella chiesa dei Cappuccini ad Annecy. Nessun documento permette di accertare la veridicità del fatto, la reliquia però esiste e l'associazione Segno vorrebbe riportarla a Susa nell'ottobre del 2018, cogliendo l'occasione per sottoporre il tessuto a specifiche indagini in collaborazione con la fondazione svizzera Abegg.
La costruzione del convento e dell'annessa chiesa pare risalire all'ultimo quarto del XIII secolo, e costituì un importante riferimento religioso e civile. Soppresso come molte altre istituzioni di questo tipo in epoca napoleonica, fu riaffidato ai Francescani solo nel 1899. Questi ultimi hanno lasciato nel 2007 la casa segusina e l'ex convento è divenuto una casa per ferie con una disponibilità di 75 posti letto, che fornisce accoglienza a gruppi e a singoli, disponendo anche di sale per incontri e convegni.

Il chiostro maggiore e la sala capitolare.
A sinistra, frammento di *Madonna con Bambino* nel chiostro adiacente la chiesa.

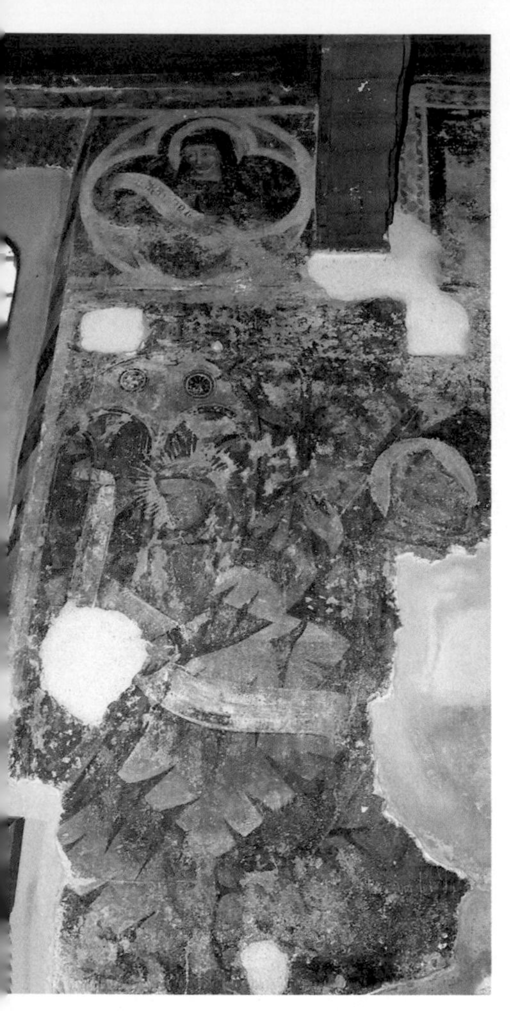

La chiesa e le altre strutture conventuali si trovano alla periferia di Susa, non lontano dall'anfiteatro romano (che le alluvioni del rio Gelassa hanno celato per secoli) e molti dei materiali con cui la chiesa è stata edificata appartenevano proprio a costruzioni preesistenti. Dalla *reception* della casa per ferie si accede ai due chiostri, realizzati in epoche diverse ma uniti da un breve corridoio e da alcuni scalini. Il primo che s'incontra, più recente, è detto di Sant'Antonio; il secondo, più antico, è invece detto di San Francesco in quanto sulle pareti, inserite nelle lunette, sono dipinte scene di vita del santo risalenti al XVII secolo. L'affresco con Sant'Anna, la Madonna con il Bambino e un donatore è stato attribuito al Maestro di Cercenasco. Sotto il porticato sono conservati alcuni frammenti architettonici: una balaustra in pietra del XIV secolo, alcune lapidi in marmo, pietra e terracotta del XIII secolo, un bel paliotto settecentesco in stucco con intarsi policromi. Sul lato occidentale del chiostro sono state murate due finestre quattrocentesche in cotto ad arco acuto, già appartenenti a un fabbricato annesso al convento, chiamato per tradizione «torre di Beatrice». Sempre sul chiostro di San Francesco si apre l'antica sala capitolare. I restauri compiuti una ventina di anni fa hanno riportato alla luce degli affreschi collocabili tra il 1340 e il 1350: *Santa Chiara, San Ludovico di Tolosa* e *San Francesco che riceve le stigmate*. Passando nella parte interna della chiesa si può osservare un ciclo pittorico del Quattrocento con i Santi Pietro e Paolo e i quattro evangelisti. Nella sacrestia nuova, sono ancora in parte visibili le figure femminili della Vergine e di

Affreschi sulla volta della chiesa e *La Cavalcata dei tre vivi e dei tre morti* nella cappella del Presepe. A sinistra, un affresco del XIV secolo nella sala capitolare.

Maria Maddalena. Grande interesse ha infine la cosiddetta «cappella del Presepe», dove di recente, grazie a un attento restauro, sono stati recuperati gli affreschi del ciclo trecentesco incentrato sul tema della morte e della salvezza eterna, in cui spiccano la *Cavalcata dei vivi e dei morti* e una bella *Crocifissione*.

L'oratorio di San Sebastiano a Roncole di Postua

● UN MASSO-ALTARE, UN «MAESTRO» DEL TARDO GOTICO E CENTINAIA DI PRESEPI

Dove: strada per borgata Roncole a Postua, in valle Strona (VC).
Accessibilità: libera all'esterno della cappella, dalle finestre si scorge l'interessante interno. Aperta in occasione della manifestazione *I presepi di Postua*. I presepi sono visitabili dalle 10 del mattino a mezzanotte, da dicembre a gennaio: la visita serale è quella più suggestiva.

Postua è l'unico Comune dell'alta valle Strona, poco più di 500 abitanti distribuiti nelle diverse frazioni. Paese antico, il ponte che attraversa il torrente è del Quattrocento. Lo Strona di Postua non è l'unico corso d'acqua con questo nome; *strona* è idronimo antico, celtico dicono i linguisti, con il significato di «corso d'acqua impetuoso». La borgata Roncole è situata a 600 metri di altezza ed è l'ultimo insediamento, dove termina la strada. Più su, verso il monte Barone, ci sono solo boschi e pascoli. Le vecchie *cassine* della pastorizia, dal tetto aguzzo coperto di felci o ginestre, sono ridotte quasi sempre a pochi ruderi e solo immagini antiche ci ricordano quel mondo scomparso. Anche in paese le case più vecchie tradiscono tipologie edilizie arcaiche, di quando non si aveva disponibilità di coppi in laterizio e si ricorreva all'uso della paglia di segale. Strade selciate, fontane (i *burnel*) e lavatoi ci parlano del tempo passato. Ci sono anche mulini, come lo scenografico mulino Starobbio, inaugurato nel marzo del 1908, che non macinava granaglie ma la cui ruota azionava mediante una puleggia il tornio che serviva ai proprietari per i loro lavori di falegnameria, quando l'elettricità era ancora un lusso. Cessata l'attività negli anni Quaranta del secolo scorso fu adibito, come struttura accessoria, a un incubatoio per avannotti, non essendo mai l'acqua del ruscello né troppo fredda né troppo calda.
Postua, in questi ultimi anni, ha avuto notorietà per via dei suoi presepi, che continuano ancora a crescere di numero. Realizzati nei luoghi e con i materiali più impensati, sono più di 200 e costituiscono un percorso ricco di sorprese. Un crescendo di emozioni e suggestioni a cui le antiche case e le sapienti illuminazioni e ambientazioni conferiscono qualcosa di surreale e fiabesco.
L'oratorio di San Sebastiano è una chiesetta semplice, in stile romanico. Situata poche centinaia di metri prima delle case di Roncole, appena sotto la strada, è molto interessante per diversi motivi. È costruita su uno spuntone roccioso a precipizio sul torrente, che in parte è stato inglobato all'interno stesso dell'edificio. Il roccione, con tutta evidenza, doveva essere già un luogo di culto pagano, attestato

Il mulino Starobbio al fondo della borgata Roncole.

L'abside romanica della chiesetta.
A destra, gli affreschi all'interno dell'oratorio e la roccia coppellata.

dalla presenza sulla superficie del masso d'incisioni rupestri (come la grande coppella laterale). Negli ultimi anni Novanta il sito è stato oggetto di scavi archeologici che hanno evidenziato una frequentazione antropica risalente all'età del ferro. Un sacello di piccole dimensioni (che ancora non inglobava il «masso sacro») vi venne eretto nei primi secoli del Cristianesimo ma poi, poco dopo l'anno Mille, vi fu edificata la cappella, più grande del precedente tempietto, inglobando il masso coppellato ma conservando l'orientamento dell'edificio primigenio, che non corrisponde a quelli consueti dell'epoca. L'unica navatella ha forma irregolare e termina con un'abside poligonale.

Sui primi secoli di esistenza dell'edificio i pareri sono discordanti e anche i due pannelli informativi posti nelle sue vicinanze non concordano. Da un lato si dice che San Sebastiano era l'originaria chiesa parrocchiale di Postua (chiamata però Santa Maria), antico punto di riferimento dell'alta valle e citata in documenti del 1298;

dall'altro, invece, si afferma che questa attribuzione sia stata fatta per errore. È probabile che la titolazione della chiesa a san Sebastiano sia avvenuta in epoche successive. A questo santo, infatti, ci si appellava in periodi di pestilenze, quando, *extrema ratio*, s'invocava la sua protezione. Nulla sappiamo delle decorazioni più antiche. Secondo gli storici dell'arte non più del 2 o 3% del patrimonio pittorico romanico delle chiese piemontesi si è conservato, la più parte è andata distrutta o le è stato sovrapposto un nuovo e più «moderno» ciclo pittorico. Gli affreschi di San Sebastiano rappresentano episodi della Passione di Cristo e sono stati eseguiti intorno al 1470 da un artista di scuola tardogotica di una certa capacità. Denominato per convenzione «Maestro della Passione di Postua», il suo nome è legato anche agli affreschi dell'ex oratorio di San Quirico a Sostegno (conservati al museo Borgogna di Vercelli) e a quelli di San Marcello di Paruzzaro.

Su Wikipedia si legge che «Il linguaggio pittorico del "Maestro della Passione di Postua" è caratterizzato da modi gotici, espressi in forma ingenua e popolare», e ancora che «L'autore usa un linguaggio semplificato, basato su una gamma cromatica limitata, su personaggi dalle fattezze tendenzialmente simili, ritratti di profilo e ritagliati come sagome su sfondi privi di profondità, ma al tempo stesso estremamente efficaci dal punto di vista comunicativo».

Il santuario di Prascondù

● UN SANTUARIO NASCOSTO NEL PARCO DEL GRAN PARADISO PIEMONTESE

Dove: località Santuario di Prascondù, Ribordone (TO).
Accessibilità: gli orari di apertura del museo sono indicati sul sito del parco del Gran Paradiso. *www.pngp.it/visita-il-parco/centri-visitatori/ribordone -la-cultura-e-le-tradizioni-religiose.*

P*rascondù*, in piemontese, vuol dire «prato nascosto». Il perché lo si capisce arrivandoci in auto da Sparone dopo una dozzina di chilometri di strada stretta, piena di curve e a tratti minacciata dalle frane. A Prascondù, però, la valletta di Ribordone si allarga in una bella conca prativa al centro della quale, a più di 1300 metri di quota, sorge uno dei santuari più amati del Canavese. La sua fondazione risale all'inizio del Seicento ed è legata, com'è normale che sia, a un evento miracoloso. Nei primi mesi del 1618 un ragazzo di Ribordone, Giovannino Berardi, durante una permanenza con il padre per motivi di lavoro nella pianura pavese, era diventato muto. Il giovane aveva perso l'uso della parola quando, dopo essersi rifiutato di partecipare alla recita serale del rosario, il padre lo aveva schiaffeggiato ed era sbottato nell'infelice augurio «Non vuoi pregare? Ebbene possa tu non parlare più!». I due tornarono poi a Ribordone e il padre fece voto di recarsi in pellegrinaggio a Loreto per implorare la guarigione del figlio. Il 27 agosto, mentre portava a pascolare il bestiame, a Giovannino apparve la Madonna. La Vergine, una bellissima

Il santuario. Vista esterna e interna.

L'altar maggiore con la statua della Vergine. A destra, in alto, il piccolo museo gestito dal parco; in basso, uno dei quadri nei quali si rappresentano le tradizioni religiose locali.

signora con sul capo un fazzoletto bianco, gli spiegò che il protrarsi della sua infermità derivava dal mancato adempimento del voto da parte del genitore. Nell'inverno tra il 1618 e il 1619 il ragazzo si recò con il padre e alcuni compaesani nella cittadina marchigiana e, nel corso del viaggio di ritorno, riacquistò la parola. I valligiani, saputo dell'evento miracoloso, costruirono allora una cappella sul luogo dell'apparizione. Questo primo edificio, però, venne distrutto da una valanga e dovette essere ricostruito in posizione più sicura. La nuova chiesetta fu consacrata nel 1654; poco sopra a essa una piccola cappella ricorda il luogo esatto dov'era avvenuta l'apparizione del 1618. La devozione popolare crebbe e numerose furono le grazie attribuite alla Madonna Nera di Loreto venerata nel santuario, così che fu necessario ampliare la chiesetta e dotarla degli edifici necessari per accogliere i pellegrini e i sacerdoti che officiavano le celebrazioni.

L'attuale struttura è più che altro ottocentesca ed è caratterizzata da un ampio sagrato. La chiesa è decorata da varie pitture murali e ha un bel coro ligneo; custodisce al suo interno, oltre a numerosi ex voto, anche una statua in legno dorato della

Madonna Nera con il Bambino. Quest'ultima è ospitata in una nicchia ed è stata scolpita tra la fine del Seicento e l'inizio del Settecento; il suo autore è ignoto. Fu oggetto di tre solenni incoronazioni avvenute nel 1789, nel 1904 e nel 1969. A fine agosto, la festa che ricorda l'apparizione mariana attira tutt'ora moltissime persone provenienti non solo dalla valle dell'Orco ma un po' da tutto il Canavese. Oltre ai pellegrini, molti dei quali raggiungono il santuario a piedi, partecipano a questo evento anche varie autorità politiche e religiose locali; nel 2017, per esempio, vi hanno concelebrato l'Eucarestia l'attuale vescovo d'Ivrea, Edoardo Cerrato, e il suo predecessore, Luigi Bettazzi. In un edificio che fa parte del complesso religioso è stato allestito a cura del Parco Nazionale del Gran Paradiso un museo della religiosità popolare che illustra anche con audiovisivi le tradizioni religiose della zona. Il museo è visitabile gratuitamente durante la bella stagione.

Il santuario della Madonna della Bassa

TRAI I BOSCHI DEL TORINESE LA CHIESETTA CHE DIEDE RIFUGIO AI PARTIGIANI

Dove: santuario della Madonna della Bassa, presso borgata Pascaletto, Rubiana (TO).
Accessibilità: il santuario è in genere chiuso, salvo che durante le funzioni religiose. Si segue la provinciale che da Rubiana va in direzione del colle del Lis; alcune centinaia di metri dopo la frazione Mompellato si gira a destra (indicazione). Superate in breve le costruzioni della borgata Pascaletto si percorre la stretta carrozzabile in parte asfaltata fino al termine. In alternativa, il santuario può essere raggiunto a piedi per un sentiero che sale da Savarino, una frazione di Val della Torre. *www.valdellatorre.it/storia/santuario.*

Quello della Madonna della Bassa è un santuario mariano che sorge su un colletto (*bassa*) a cavallo dello spartiacque tra la val Casternone e la val Messa. La sua fondazione è collegata a un episodio miracoloso accaduto nel XVIII secolo a Lorenzo Nicol, un abitante di Mompellato, nei pressi del luogo dove si trova oggi la chiesa. Secondo la tradizione nel 1713 Nicol, mentre tornava a casa da solo con un pesante carico di legna, si ruppe una gamba. Non potendo sperare nell'aiuto di nessuno invocò la Madonna e promise che se fosse tornato a casa sano e salvo avrebbe costruito sul posto una cappella. L'uomo fu esaudito e guarì all'istante, ma si dimenticò del voto e, l'anno seguente, nello stesso luogo e nelle stesse circostanze, si fratturò di nuovo la gamba. Seguì

Affresco nel portichetto anteriore, il santuario visto dal sentiero per il monte Arpone e la facciata della chiesa.

Alcuni ex voto e, a destra, l'interno della chiesa e il murale a fianco dell'ingresso.

una nuova invocazione e una nuova guarigione, ma questa volta, il giorno dopo il fatto, il Nicol cominciò subito a costruire un'edicola votiva sul luogo del miracolo. Negli anni seguenti gli abitanti della zona al posto dell'edicola costruirono una piccola cappella, nella quale venne celebrata la prima messa nel 1721. La devozione crebbe e seguirono nuove grazie e altri miracoli, ancora oggi ricordati dai molti ex voto esposti all'interno del santuario.
La chiesetta dovette essere ampliata più volte per contenere i fedeli che vi si recavano, finché nel 1845 raggiunse le dimensioni attuali grazie alla comunità di Mompellato, allora parrocchia autonoma affidata a don Carlo Bertolo. Davanti a essa venne poi costruito un fabbricato per ospitare i pellegrini che affluivano al santuario nel giorno della sua festa; in seguito furono ancora aggiunti un porticato e una costruzione sul retro, per dare ricovero ai sacerdoti che partecipavano alle celebrazioni.

La chiesa è formata da tre navate, quella centrale più alta rispetto alle altre due e coperta da un tetto di *lose* (lastre di pietra) a doppia falda. Sul davanti il colmo del tetto mostra una croce a raggiera, mentre sul lato opposto si trova una campana. Oltre alla ricca collezione di ex voto all'interno del santuario si possono osservare gli affreschi raffiguranti il primo miracolo e alcune scultu-

re; una statua processionale della Vergine viene ancora oggi utilizzata nel corso di alcune celebrazioni.

La storia del santuario conobbe momenti drammatici durante il periodo della guerra partigiana, quando nei suoi pressi si svolsero alcuni fatti d'arme tra i quali il famoso eccidio del col del Lis del 2 luglio 1944 e l'uccisione del comandante Amedeo Tonani (nome di battaglia «Deo»). In quel periodo gli edifici della Madonna della Bassa ospitarono il quartier generale dei partigiani che operavano nella zona, riforniti di viveri e munizioni tramite la mulattiera che parte dal Molino di Punta, nel Comune di Val della Torre. Nel 1991, in occasione della visita del papa a Susa, all'arredo interno della chiesa fu aggiunto un nuovo altare, progettato dall'architetto Ruffino. Anche nel 2011 vennero eseguiti alcuni lavori di restauro e furono realizzati alcuni dipinti murali all'interno del porticato anteriore e nelle due nicchie ai lati della facciata.

Il santuario del Fontegno

● DAL FONTEGNO LA MADONNA DELLA NEVE VEGLIA SUL LAGO

Dove: santuario della Madonna della Neve del Fontegno, via Fontegno, Quarna Sopra (VB).
Accessibilità: il santuario è sempre accessibile e la cappella con il dipinto cinquecentesco è liberamente visitabile. La chiesa, invece, viene aperta in occasione delle celebrazioni che vi si svolgono e, in particolare, durante la festa della Madonna della Neve (prima domenica di agosto). Raggiunta in auto Quarna Sopra si prosegue per via Fontegno e si posteggia nei pressi dell'inizio della mulattiera per il santuario, indicato da un cartello giallo della ex Comunità Montana. Il percorso richiede circa 15 minuti di cammino in discesa e una ventina in salita. *www.comune.quarnasopra.vb.it/ComSchedaTem.asp?Id=1961.*

Fontegno è un piccolo santuario mariano situato a circa settecento metri di quota nel Comune di Quarna Sopra. Il suo nome deriva da una fontana che si trova davanti alla chiesa, oggi sormontata da una piccola edicola sacra e dotata dei tradizionali mestoli metallici per dissetarsi con comodo. L'attuale chiesetta risale al Settecento ed è stata costruita su un edificio più antico. Il luogo dove sorge è assai suggestivo: un piccolo ripiano sostenuto da archi e murature in pietra e affacciato come una balconata su Omegna e sul lago d'Orta, nel bel mezzo della ripida pendice boscosa che separa la cittadina dall'altopiano delle Quarne. Il punto di vista è piuttosto particolare perché abbraccia, oltre alla conca lacustre, anche la parte finale della val d'Ossola, l'antistante massiccio del Mottarone e, verso destra, lo sguardo può spingersi molto a sud di Novara e arrivare alle montagne dell'Appennino ligure.

La parte più antica del piccolo complesso religioso è una cappella costruita per proteggere un affresco cinquecentesco che rappresenta una Vergine con il Bambino in trono, affiancata da due angeli. Il dipinto fu quasi di certo realizzato in seguito a qualche evento miracoloso e, come provano alcune scritte cinquecentesche e seicentesche graffite sull'intonaco, divenne presto oggetto di devozione da parte degli abitanti della zona. Il primitivo sacello fu poi protetto da un portichetto anteriore e, nel Settecento, fu affiancato verso monte dall'attuale chiesa, che nel 1728 venne dedicata alla Madonna della Neve.

Il santuario visto dal sentiero per Quarna e la caratteristica fonte annessa al santuario.

L'edificio è dotato di un piccolo campanile dalla forma asimmetrica, perché la falda del tetto in direzione del lago scende più in basso di quella verso monte, in modo da riparare e inglobare la vecchia cappella. Sul retro è presente un locale adibito a sacrestia e un'apertura laterale lo mette in comunicazione con la primitiva cappella e il portichetto antistante. La pianta della chiesa è a croce latina, a navata unica. Una grande tela d'altare, copia di un dipinto oggi scomparso, ricorda l'apparizione della Madonna accompagnata dal prodigio di una nevicata fuori stagione avvenuta a Roma nella notte tra il 4 e il 5 agosto del 358 (ma secondo altre fonti l'anno sarebbe il 352). La facciata, molto semplice, è stata impreziosita all'inizio del Novecento da dipinti collocati sul tratto di muro che delimita il portichetto e dedicati anch'essi al prodigio della neve estiva. Sotto il portico trova spazio anche una nicchia che ricorda i combattenti e i reduci di guerra del paese.

L'antico affresco della Vergine col Bambino. A destra, in alto, il pulpito e la spianata antistanti la chiesa e, in basso, la croce dedicata alle missioni.

Tra la fontana e la chiesa si trova, addossato alla montagna, un piccolo e singolare pulpito in muratura, contornato da una ringhiera metallica, utilizzabile dal celebrante per le funzioni all'aperto. Un altro elemento che aggiunge fascino al luogo è la presenza di una monumentale quercia, che segna l'inizio del tratto di sentiero che sale verso il centro di Quarna. Questa mulattiera, lastricata con cura, prima della costruzione della strada che unisce Omegna con le due Quarne, era la principale via di collegamento tra i due piccoli centri montani e il mondo esterno. Il santuario rappresentava quindi il primo contatto con il borgo

natale per chi tornava a casa e «salutava» coloro che partivano. L'ampia mulattiera è fiancheggiata da piloni votivi dedicati ai cinque misteri gaudiosi, cioè ad alcuni momenti principali dell'esistenza terrena della Madonna. Queste edicole furono edificate poco dopo la seconda guerra mondiale per adempiere a un voto solenne fatto nel 1944 dai quarnesi, che chiedevano alla Vergine che fossero loro risparmiati gli orrori della guerra. Prima di entrare in paese, al termine della salita, si trovano una statua della Madonna e un'alta colonna eretta nel 1962 in onore delle missioni.

La devozione verso questo suggestivo santuario è tuttora molto sentita. Ogni anno gli abitanti del paese organizzano in occasione della festa della Madonna della Neve una processione notturna dove i fedeli, al termine della messa serale che si celebra al Fontegno, raggiungono con le fiaccole accese il centro storico del paese e la parrocchiale di Santo Stefano.

I LUOGHI DELL'ARTE

- San Lorenzo e il battistero di San Giovanni Battista a Settimo Vittone
- San Giorgio di Valperga • San Peyre di Stroppo
- Hans Clemer e San Sebastiano a Celle di Macra
- San Bernardo di Valgrana • La cappella di Sant'Eldrado alla Novalesa

San Lorenzo e il battistero di San Giovanni Battista a Settimo Vittone

● LA PIÙ ANTICA PIEVE DELL'EPOREDIESE E UN MISTERIOSO SARCOFAGO

Dove: piazza Conte Rinaldo, Settimo Vittone (TO).
Accessibilità: da marzo a ottobre, tutte le domeniche dalle 15 alle 17, ingresso a pagamento; sono possibili (consigliabili) visite guidate.

S Settimo Vittone è l'ultimo paese del Piemonte sulla sinistra orografica della Dora Baltea. Deve il suo nome al fatto che si trovava sulla strada delle Gallie, al settimo miglio da *Eporedia*, l'attuale Ivrea. Fu un luogo importante per il controllo della via di comunicazione su cui sorse, unica alternativa ragionevole ai passi della val di Susa per valicare le Alpi, come testimonia la presenza (in un'area abbastanza ristretta) di numerosi castelli eretti dalle famiglie feudali locali. Se oggi i principali nuclei abitati si sviluppano a fianco della strada statale, un tempo non era così, perché paludi e alluvioni consigliavano di tenersi più a monte. E infatti il paese si presenta con le case e gli edifici principali abbarbicati alle prime pendici del Mombarone. Dove oggi si trova la pieve passava la via Francigena e in epoca romana esisteva già un insediamento, di cui

Il portale di accesso al complesso monumentale di San Lorenzo e il campanile.

alcuni embrici furono riutilizzati per la costruzione di San Lorenzo (a quanto pare, su un luogo già occupato da un tempietto romano). Il battistero fu per lungo tempo l'unico di tutta la zona ed è tutt'oggi, dopo i recenti scavi archeologici, uno dei pochi esempi di fonte battesimale a immersione ancora esistenti in Piemonte. Secondo la tradizione, nel IX secolo, la pieve dette asilo alla beata Ansgarda, sorella di Attone Anscario, avo di re Arduino. La lapide, però, fissata nella muratura del battistero, è apocrifa ed è stata collocata dove la vediamo sul finire dell'Ottocento.

Il sito è composto dalla pieve, dal battistero e dal breve corridoio di epoca posteriore che li unisce. Il complesso esisteva già quando la regina Ansgarda di Borgogna, ripudiata dal marito Luigi, il balbuziente re di Francia, di vent'anni più giovane, trovò ospitalità nel vicino castello di suo fratello minore Attone Anscario, marchese d'Ivrea e signore di Settimo Vittone (nell'edificio oggi si trova un B&B che funge da posto tappa sulla via Francigena). La regina sarebbe poi tornata in Francia, per morire in odore di santità in un convento di Reims verso l'880. Nel periodo che trascorse a Settimo Vittone ebbe modo di conquistare l'affetto della gente del posto per il suo fervore religioso e caritatevole. Oltre a una salda fede religiosa, possedeva un'intelligenza viva e una cultura del tutto inusuali per l'epoca, che si espressero nella raccolta di testi e nella corrispondenza epistolare in diverse lingue con gli eruditi suoi contemporanei.

Il battistero di San Giovanni e il fonte battesimale paleocristiano.
In alto, un affresco conservato in San Lorenzo e restaurato di recente.

Il castello dove visse Ansgarda oggi ricorda più un palazzo che un fortilizio, ma doveva essere molto diverso ai tempi del suo soggiorno. Possedeva una massiccia torre quadrata ed era su tre piani, con un muro perimetrale in pietra e una torretta, anch'essa quadrata, staccata dal corpo principale del complesso e adibita alla sorveglianza della strada. Nei secoli successivi i proprietari resero più consono l'edificio alle mutate esigenze abitative e oggi del periodo della buona regina restano solo alcune finestre ogivali con ornamenti in cotto. La pieve di San Lorenzo è una chiesa a croce latina e a navata singola, con l'abside orientata a est come in tutte le chiese più antiche e coperta da una volta a botte. Sul suo lato destro è presente una cappella detta «degli Avogadro»; un tempo ne era presente anche un'altra sul lato sinistro ma venne abbattuta per la costruzione del corridoio di collegamento con il battistero. Anche la cappella e l'abside, entrambe a pianta rettangolare, sono coperte da volte a botte. La muratura è in mattoni e ha uno spessore di circa 80 centimetri; molto interessante è notare come all'esterno si possano rinvenire tracce di cocciopesto, materiale di epoca romana. Sul lato meridionale dell'edificio si trova una finestrella contemporanea alla costruzione originaria, mentre la bifora sulla facciata è stata voluta dal D'Andrade nel corso dei lavori di restauro realizzati nell'Ottocento. Il campanile si trova sul lato settentrionale della chiesa. L'abside è coperta con tegole romane, mentre sul resto del tetto vi sono *lose* (lastre in pietra) collocate in epoca recente (quelle recuperate ai tempi del restauro, giu-

dicate troppo pesanti e in grado di mettere a rischio la stabilità dell'edificio, furono riutilizzate all'esterno come pavimentazione).
Il battistero, dedicato a San Giovanni Battista, è distinto dalla chiesa (rispetto a cui è quasi di certo precedente) e la costruzione del corridoio che li collega comportò il sacrificio del lato meridionale del primo e della cappella settentrionale della seconda. La pianta del battistero è ottagonale, la copertura è in *lose* e i suoi muri sono spessi più di un metro. Mentre la parte più bassa delle murature si presenta grezza e irregolare, la zona sommitale è di fattura assai più raffinata, forse a indicare un suo rifacimento posteriore a seguito di un crollo. L'edificio è sovrastato da un campaniletto di epoca romanica, posteriore di vari secoli al resto della costruzione. Al suo interno il battistero mostra delle nicchie e in corrispondenza del lato orientale, nell'XI secolo, venne costruita una piccola abside.

Il principale motivo della notorietà del complesso di San Lorenzo è costituito dai numerosi affreschi che ricoprono l'abside della pieve, le sue pareti e quelle del corridoio che comunica con il battistero. La loro datazione è difficile, ma vanno dall'inizio del XII secolo sino al XV. Mentre gli affreschi quattrocenteschi sono stati firmati dai loro autori, per quelli precedenti l'attribuzione è molto più problematica. Tra i soggetti risaltano un *San Francesco* nell'atto di ricevere le stigmate, di Giacomino d' Ivrea, sulla parete sinistra un *Angelo con le tre Marie* e, sul lato destro della chiesa, la rappresentazione di un santo vescovo (non identificato) in trono. Un frammento di *Ultima Cena* e la visione del beato Pietro di Lussemburgo sono considerati invece opere trecentesche. La realizzazione degli affreschi che ornano la cappella Avogadro, comprendenti vari soggetti tra i quali un *Cristo benedicente con i simboli degli evangelisti*, una *Pietà* e alcune immagini di santi tra i quali Lorenzo, Martino, Lucia e Caterina

Alcuni degli affreschi conservati in San Lorenzo e restaurati di recente.
In basso, un antico sarcofago rinvenuto durante gli scavi.

d'Alessandria, avvenne su iniziativa del pievano Giovanni Martino Avogadro di Casanova. In queste pitture gli storici dell'arte hanno visto influenze di Piero della Francesca e del casalese Giovanni Martino Spanzotti, quest'ultimo attivo anche a Ivrea.
La presenza nel complesso di una lapide apocrifa e di un sarcofago ha alimentato la leggenda che qui sia sepolta proprio Ansgarda. Anche Napoleone Bonaparte s'interessò della questione e fece fare dei saggi di scavo per individuare i resti di quella che, comunque, era stata una regina di Francia, ma rinunciò quasi subito alle ricerche.
Da San Lorenzo, una breve ma stupenda passeggiata conduce lungo la via Francigena sino al castello di Montestrutto e all'abbandonata chiesa di San Giacomo.

San Giorgio di Valperga

● UN'ANTICA CHIESA CASTRENSE SULLE PRIME PROPAGGINI MONTANE DEL CANAVESE

Dove: piazza Giorgio Anselmi, Valperga (TO).
Accessibilità: la chiesa è gestita dall'associazione Amici di San Giorgio, le aperture avvengono su richiesta o in occasione di eventi e manifestazioni. Dal centro di Valperga bassa, una stradina (indicazioni) sale fino al castello. In alternativa si segue l'antico cammino per il sacro monte di Belmonte. *www.amicisangiorgiovalperga.it.*

Situata sulla collina che domina il paese, San Giorgio è adiacente a quello che fu il castello comitale, lungo l'antica strada che sale a Belmonte. Le strutture più antiche e il campanile con le due eleganti bifore romaniche risalgono all'XI secolo e sono coeve alle prime testimonianze del fortilizio (i primi documenti che ne attestano l'esistenza risalgono al 1150), le cui vicende sono legate a quelle della famiglia dei Valperga, appartenente alla nobiltà storica canavesana e con un albero genealogico complesso come pochi altri. Dopo la metà del Settecento, con lo sviluppo del paese ai piedi del colle e il declino dell'aristocrazia, la localizzazione dell'antica parrocchia appariva ormai illogica, non più consona alle esigenze della collettività, e prese corpo la necessità di trasferirla. Del 1803 è la concessione per il suo spostamento nella chiesa della confraternita della Trinità, nel centro del borgo. San Giorgio fu pian piano abbandonata e la torcia che, ancora nel 1674, veniva mantenuta sempre accesa a cura dei conti di fronte a un'icona della *Pietà*, fu spenta.

La chiesa è certo uno dei monumenti medievali più importanti del Canavese, un gioiello che meriterebbe (come molti altri ricordati in questo volume) maggiore valorizzazione. L'edificio ha vissuto nel tempo diversi ampliamenti, di pari passo con le fortune della famiglia che esercitava la sua signoria nel luogo, il più importante dei quali fu nel XV secolo. Per dare lustro alla casata e promuovere la propria immagine, i conti di Valperga fecero infatti affrescare le nuove strutture quattrocentesche del tempio da vari maestri, di cui

Il campanile di San Giorgio e l'interno della chiesa di San Giorgio.

solo uno – Giovanni di Pietro da Scotis di Piacenza – ha lasciato la propria firma nel cartiglio che si può vedere accanto al *San Bernardino*, sopra la porta dell'attuale sacrestia, a sinistra dell'abside. In vari di questi affreschi i critici dell'arte hanno riconosciuto anche la mano di Giacomo Jaquerio, maestro di quel gotico internazionale che ha una delle sue espressioni più interessanti a Sant'Antonio di Ranverso.

Alcuni particolari degli splendidi affreschi.
In quello a destra si nota, in alto, un suonatore di cornamusa.

Una particolarità di San Giorgio (con pochi riscontri altrove) è che le pitture ricoprivano sia le pareti interne sia quelle esterne, in modo che fossero in parte visibili anche a coloro che percorrevano le vecchie mulattiere. Durante la pestilenza del Seicento la chiesa fu utilizzata come lazzaretto e per motivi sanitari le pareti vennero ricoperte per intero da uno scialbo di calce; cosicché gli affreschi interni scomparvero alla vista e ben presto se ne perse addirittura la memoria. Alla fine dello stesso secolo le due navate vennero allungate e anche la facciata fu ricostruita. Solo nel Novecento, decaduti dal diritto di giuspatronato i proprietari del castello, si aprì la possibilità d'interventi statali. I lavori di restauro vennero intrapresi per iniziativa del senatore valperghese Giorgio Anselmi e si svolsero tra il 1937 e il 1939. Sul monumento furono svolti studi e rilievi e riportate alla luce

le pitture interne, sottoposte a un primo, discutibile ripristino; per giunta, esse subirono infiltrazioni d'acqua dal tetto e furono danneggiate. Del resto, agli affreschi esterni andò anche peggio: non protetti dalla calce ed esposti alle intemperie, andarono perduti. Si salvarono solo quelli che, in occasione di uno degli ampliamenti, erano stati incorporati nella cosiddetta «sacrestia nuova». Degli altri, non più leggibili gli originali, rimangono le copie che il D'Andrade volle riprodurre all'esterno della chiesa del Borgo Medievale di Torino, assieme alla finestra ogivale e alle decorazioni in cotto. A destra dell'abside si trova una cappella circolare, seicentesca, alla quale si accede dalla sacrestia: la via acciottolata attuale vi passa al di sotto, mentre in passato aggirava la chiesa. Fu adibita a sepolcreto della famiglia Valperga.

Per saperne di più: Mario Pent (coordinamento editoriale), *La Chiesa di San Giorgio in Valperga*, edizioni Nautilus.

San Peyre di Stroppo

● AFFRESCHI IN MUSICA, IL SUONATORE DI PIVA

Dove: strada Provinciale, 335, Stroppo-Elva (CN).
Accessibilità: le aperture sono estemporanee, ma è possibile richiedere la chiave al signor Battista Arneodo, nella frazione Arneodi di Stroppo (frazione prima del municipio), che l'ha in consegna dal parroco (com'è ovvio, poi va restituita a lui).

Si dice che sia stato lo stesso Saturno a inventare la zampogna, strumento pastorale per eccellenza, e a insegnarne l'uso agli uomini; pare anche che Nerone si dilettasse a suonare l'*utriculus*, il nonno degli strumenti a sacca, i quali però divennero di uso popolare solo nel Medioevo. La zampogna appartiene alla grande famiglia delle cornamuse, strumenti diffusi in tutta Europa e nel bacino del Mediterraneo, caratterizzati da una sacca d'insufflazione che alimenta le canne melodiche e i bordoni, che danno la continuità del suono. La troviamo rappresentata in molti affreschi e dipinti antichi, assieme ad altri strumenti oggi desueti. Una delle più belle di queste raffigurazioni è quella del suonatore che si può vedere nella cappella di destra della chiesa di San Peyre di Stroppo. Conosciuta da molto tempo, ha posto più di un interrogativo agli etnomusicologi: libera interpretazione dell'artista (ignoto) o rappresentazione di uno strumento un tempo in uso in queste zone? La cornamusa, sino alla metà del secolo scorso, era in effetti diffusa e utilizzata per i balli in molte regioni occitane transalpine, ma la sua presenza non era attestata nelle valli occitane del versante italiano. Più attente osservazioni hanno rilevato altri suonatori di «piva» nel castello di Caraglio, nella chiesa parrocchiale di Rossana e nelle pitture di Notre-Dame-des-Fontaines a Briga, in val Roia, testimoniando quindi un fenomeno proprio delle valli e dell'ambito storico-culturale legato al marchesato di Saluzzo. Di fronte all'affresco di Stroppo è nata la scommessa di Sergio Berardo, uno dei più noti e virtuosi suonatori delle valli occitane, di ridare vita a quella cornamusa. Con il contributo della Comunità Montana Valle Maira il progetto è stato avviato e, dopo la realizzazione di un prototipo, sono state prodotte altre due *pive d' Strop*. La precisione dei particolari nell'affresco

La scenografica chiesa di San Peyre di Stroppo
e lo stupendo *Suonatore di piva* di autore anonimo.

L'interno di San Peyre e particolari degli affreschi.

(si notano anche i fori per la diteggiatura della canna del canto) ha permesso al liutaio francese Robert Matta, specializzato nella costruzione e riproposta di cornamuse tradizionali occitane, di cimentarsi nella riproduzione filologica dello strumento di San Peyre. Matta, già componente del gruppo dei Freta Monilh alla fine degli anni Settanta e poi dei Trencavel, non è peraltro nuovo a questo genere di sfide, avendo già resuscitato la *samponhia* pirenaica. Così, dopo almeno seicento anni, il 20 aprile del 2007 Berardo ha potuto gonfiare la sacca e far riascoltare il suono davvero straordinario per il timbro e la particolarità dell'antico strumento. L'esito non era affatto scontato; la sonorità di questa cornamusa era sconosciuta sino ad allora allo stesso interprete.

La chiesa di San Peyre si trova isolata su un poggio a monte del capoluogo di Stroppo, a 1234 metri di quota, sotto la strada che sale al col San Giovanni e a Elva. Sino al 1825, quando l'attiguo cimitero fu sconsacrato, era la parrocchiale del paese insieme a San Giovanni Battista di Paschero. Molti l'avranno riconosciuta nelle scene del film *Il vento fa il suo giro* di Giorgio Diritti (soggetto di Fredo Valla), un inaspettato successo cinematografico che fu girato qualche anno fa in val Maira. Insieme alla cappella di San Salvatore a Macra, San Peyre è ritenuta essere uno degli edifici religiosi più antichi della valle. Si caratterizza per la propria semplicità ma anche per alcune singolarità architettoniche, come la mancanza di simmetria della facciata a capanna, il campaniletto a vela sul colmo e le pochissime aperture sui muri perimetrali. Più tardo è il campanile gotico con la cuspide ottagonale. L'interno è a tre navate, di cui quella centrale molto più alta e ampia delle laterali, terminante in modo del tutto inusuale con due absidi di differenti dimensioni. Girare l'enorme chiave nella toppa dell'antica porta e trovarsi di fronte al caleidoscopio d'immagini degli straordinari affreschi che adornato l'abside, le pareti e le cappelle laterali è un'emozione davvero irripetibile. Degli autori non conosciamo pressoché nulla ma la qualità degli affreschi lascia davvero stupiti: in quei dipinti c'è un che di moderno, d'infantile e di arcaico. Si ritiene che San Peyre sia stata costruita tra il XII e il XIII secolo, ma s'ipotizza che alcune delle sue strutture murarie siano antecedenti. Gli affreschi furono eseguiti in più riprese a partire dal XIV secolo e i primi sono quelli dell'abside maggiore. A partire dagli ultimi anni Cinquanta sono stati sottoposti a complessi lavori di restauro (terminati nel 1991) che hanno permesso di riportare alla luce anche quelli nascosti sotto scialbo. Così come spesso si fa nelle case per motivi di salubrità e pulizia, anche nelle chiese talvolta s'imbiancavano gli ambienti con una «mano» di calce (che però copriva quello che c'era sotto).

A San Peyre le pitture ricoprono tutte le superfici murarie e l'arco trionfale e hanno in comune, fanno notare i critici d'arte, una certa sproporzione degli arti (notare i piedoni degli apostoli), l'espressione un po' fissa dei volti, la gradevole fluidità dei panneggi. Il famoso suonatore di cornamusa fa bella mostra di sé nell'absidiola di destra.

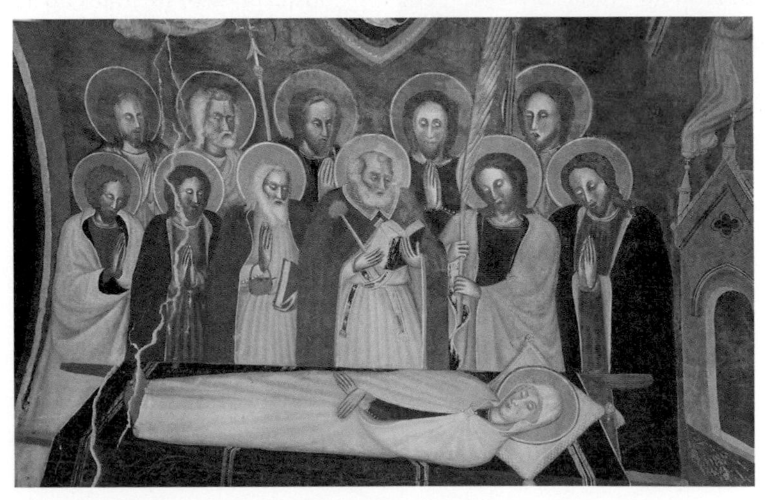

Hans Clemer e San Sebastiano a Celle di Macra

● UN TRITTICO DA NON PERDERE E UNA CAPPELLA TARDOGOTICA

Dove: borgata Chiesa, borgata Chiotto, Celle di Macra (CN).
Accessibilità: la cappella viene aperta la domenica pomeriggio nei mesi estivi e in date determinate. Per informazioni chiedere in Comune, tel. 0171 999190, o all'associazione Espaci Occitan di Dronero, tel. 0171 904075 (dal mercoledì pomeriggio al sabato). *http://archeocarta.org/celle-di-macra-cn-cappella-di-s-sebastiano.*

La val Maira, cenerentola tra le valli piemontesi (per fortuna negli ultimi anni un forte sviluppo del turismo sostenibile sembrerebbe aver invertito la tendenza), conobbe un passato fiorente nel XV secolo, quando il marchesato di Saluzzo raggiunse il suo splendore e la valle fu governata dall'Unione dei Comuni, anche se sotto il controllo dei marchesi. Fu così che anche nelle contrade oggi più sperdute (ma non lo erano a quel tempo, quando le vie di comunicazione seguivano tracciati ben diversi dagli attuali) furono chiamati valenti artisti, locali e non, a decorare chiese e cappelle, ma anche edifici privati, con intenti divulgativi religiosi ma anche celebrativi. Celle di Macra, Comune sparpagliato in innumerevoli borgate in una valle laterale della media val Maira (oggi soprattutto noto per i suoi acciugai di un tempo e per il museo dei Mestieri Itineranti), può così proporre due gioielli di arte medievale: il polittico di Hans Clemer, in borgata Chiesa, e la cappella di San Sebastiano, in borgata Chiotto.

La parrocchiale, che si trova nell'omonima borgata, ha forme barocche e non conserva molto di antico nelle sue strutture (la chiesa è di solito aperta nei giorni festivi o in occasione di celebrazioni), ma dietro l'altare si può ammirare un prezioso polittico di Hans Clemer, l'artista fiammingo attivo alla corte dei Saluzzo più conosciuto come il «Maestro d'Elva» (suoi sono infatti gli straordinari affreschi della chiesa di quel paese), eseguito nel 1496 e ritenuto tra le migliori opere del gotico piemontese. Il dipinto ha come soggetto la Madonna in trono con il Bambino, attorniata da San Giovanni evangelista e San Pietro a sinistra, San Giovanni Battista e San Paolo a destra. Il committente fu un tal Giovanni Forneris, a quel tempo

L'interno della parrocchiale di Celle di Macra e il trittico attribuito ad Hans Clemer.

parroco del paese, che in quanto committente è raffigurato nel dipinto, ai piedi del Battista, seppure con dimensioni ridotte rispetto alle altre figure, rivolto in preghiera verso la Vergine.
Cinquecento metri più avanti, appena sotto la strada che conduce a Chiotto, si trova invece la cappella di San Sebastiano. Sotto il portico, più recente del resto della struttura, passava l'antica mulattiera che saliva alle borgate alte. La chiesa fu edificata nel Quattrocento, forse per invocare la protezione del santo nel corso di una delle tante epidemie di peste. La facciata anteriore è stata rimaneggiata nell'Ottocento, secolo al quale risale anche l'affresco che raffigura San Rocco e San Sebastiano. L'unica aula della cappella ha volta a ogiva e termina con un'abside semicircolare.
L'altare in muratura è uno dei rari esempi di altari preconciliari ancora reperibili nel Cuneese (un altro è quello di San Pietro di Macra). Sulla parete dell'abside è rappresentato il *Martirio di San Sebastiano*, legato al palo e trafitto dalle frecce dei suoi commilitoni, secondo uno stile che ricorderebbe quello fiorentino del Duecento. Ai lati,

La cappella dedicata a San Sebastiano e particolari dei suoi bellissimi affreschi.

sono rappresentati san Fabiano papa e san Rocco, altre due note figure a cui ci si appellava contro la peste. Al centro, in alto, troviamo l'Eterno nella mandorla sorretta dagli angeli. Nei piedritti laterali l'arcangelo Michele è intento a pesare le anime dei defunti, mentre il diavolo stipa in una gerla e si porta via quelle dannate (di sua competenza); le fauci spalancate del drago, presso il diavolo stesso, sono una delle classiche rappresentazioni simboliche dell'Inferno. Sulla parete sinistra, dove purtroppo gli affreschi sono stati in parte rovinati dall'umidità, è dipinta una rappresentazione infernale suddivisa in otto riquadri, ai quali corrispondono altrettanti gironi di peccatori. Partendo dall'altare si possono distinguere i superbi e gli eretici (condannati a bruciare in una fornace), gli avari (rosolati da un diavolo su un grosso spiedo), i corrotti e lussuriosi (arsi su graticole arroventate), i maligni invidiosi (tormentati da draghi alati), i golosi (ingozzati dai satanassi loro guardiani), gli iracondi (impalati sui rami di un albero), i pigri e gli oziosi (immersi nell'acqua gelida di una vasca infestata da serpenti acquatici), i traditori in attesa di essere divorati da Lucifero, che tiene in braccio il traditore per antonomasia, Giuda. Sono scene terribili, che avrebbero dovuto convincere i fedeli a tenersi lontano dalle malefatte. Nell'Inferno vi è posto anche per un accenno polemico, legato alle vicende del tempo: la raffigurazione di soldati francesi accompagnata dalla scritta «isti sunt superbi et partisani et heretici». Sulla parete opposta a quella finora descritta sono raffigurati il Purgatorio e l'opera di conforto prestata dagli angeli alle anime dei defunti. Al di sotto del Purgatorio è presente una scritta che identifica l'autore degli affreschi:

MCCCCLXXXIIII DIE XV SEPTEMBRIS HAEC/ CAPELLA COMPLETA FUIT AD HONORE DEI ET GLORIOSE/ VIRGINIS MARIE ATQUE BEATI SEBASTIANI ET OMNIS/ SANCTORS/ EGO IOHANES DE BALEISO/ HABITATO/ DEMONTIS PICSI.

Giovanni Baleison di Demonte è un artista del gotico internazionale che nacque a Demonte intorno al 1463, che fu attivo tra il 1480 e il 1500 in Piemonte, Liguria e nelle Alpi Marittime francesi e che collaborò con Giovanni Canavesio (Notre-Dame-des-Fontaines a Briga). A fianco del Purgatorio è rappresentata infine la paradisiaca Gerusalemme Celeste, circondata da alte mura merlate: all'interno i Santi sono in adorazione del Cristo in gloria, posto tra la Madonna e San Giovanni. San Pietro, sulla scala che porta in Paradiso, attende, con le classiche chiavi in mano, le anime dei beati. Vicino alla scala è rappresentato il Limbo: dietro alla grata s'intravedono le anime meste dei defunti morti senza il Battesimo o prima della venuta di Cristo. Nella parte inferiore della parete si può infine osservare, in parte cancellata e molto sbiadita, l'allegoria delle virtù.

Per saperne di più: *Mistà. Itinerario romanico-gotico nelle chiese delle valli Grana, Maira, Varaita e Po, Bronda, Infernotto*, +eventi edizioni, Cuneo 2006.

San Bernardo di Valgrana

● UNO DEGLI ULTIMI LAVORI DI PIETRO DA SALUZZO

Dove: borgata Bottonasco di Valgrana (CN).
Accessibilità: libera.

Nel Quattrocento gli edifici religiosi, specie quelli situati nelle aree più periferiche ma pur sempre sulle vie di comunicazione (che al tempo seguivano tracciati spesso diversi dagli attuali), oltre a essere luoghi di culto avevano altre funzioni, tra cui quella di promuovere il committente e quella didattico-divulgativa. In un'epoca in cui la lettura era affare dei dotti, figure ben colorate erano un sistema efficace per far approcciare il popolo ai misteri della fede, illustrare le storie sacre, indicare gli esempi di santità e anche denunciare i pericoli a cui si andava incontro se non si seguiva la retta via. Gli artisti, valenti artigiani, lavoravano di pennello su commissione, e nei contratti erano spesso indicate le quantità e la qualità dei singoli colori, dato che alcuni di questi erano rari e costosi. Le pitture murali, per raggiungere il loro scopo, dovevano essere ben visibili sia ai fedeli sia ai viandanti. San Cristoforo era spesso rappresentato anche all'esterno, talvolta molto in grande: doveva infatti essere riconoscibile già da lontano, perché vederlo poteva proteggere chi viaggiava dai pericoli che si correvano.
Molte delle chiese antiche, prima che la Controriforma modificasse consuetudini e desse prescrizioni, erano cappelle di limitate dimensioni aperte su tre lati. La cappella di San Bernardo, che si trova ai piedi della collina di Montemale, al bivio per Bottonasco, presenta la struttura tipica delle cappelle campestri quattrocentesche, con vano

La volta decorata da Pietro da Saluzzo, la facciata esterna e la cappella di San Bernardo.

quadrangolare coperto da volta a crociera e grandi arconi aperti su tre lati. Il porticato antistante l'ingresso risale a un paio di secoli dopo, quando le arcate furono tamponate, con la conseguenza di distruggere o di danneggiare gli affreschi preesistenti, per indifferenza ma forse anche per eliminare rappresentazioni ritenute non più ortodosse.
Recenti restauri hanno ridato alla cappella il suo aspetto primitivo (eccetto il porticato) e hanno risolto i problemi statici e conservativi e dovuti alla vicinanza di canali irrigui e al continuo passaggio di mezzi agricoli. Nel corso di questo intervento sono stati riaperti gli arconi, riportando alla luce la decorazione dei sottarchi; grandi vetrate protettive permettono di godere delle decorazioni del complesso. Gli affreschi sono databili alla seconda metà del XV secolo e vengono attribuiti a Pietro Pocapaglia da Saluzzo (*Petrum de pauca palea de Salucis*), un artista attivo nell'area cuneese nel corso del Quattrocento. Le sue opere si ritrovano con frequenza in val Grana e nella contigua val Maira ed era in precedenza conosciuto come il «Maestro del Villar» per il ciclo pittorico presente a Villar San Costanzo. È possibile che il committente delle pitture sia stato Carlo Domenico Saluzzo, fratello del marchese Ludovico II e parroco di Valgrana intorno al 1470.

Particolari dell'opera di Pietro da Saluzzo.

Sulla facciata, nella parte alta, troviamo l'*Annunciazione* in una rara interpretazione e due grandi riquadri a lato: a destra vi è Santa Caterina d'Alessandria (riconoscibile per la ruota del supplizio) e a sinistra San Bernardo di Mentone (Mentone, in questo caso, è un villaggio savoiardo, da non confondersi con l'omonima cittadina della Costa Azzurra), il santo al quale è dedicata la cappella. Nel sottarco d'ingresso vediamo invece San Sebastiano e Sant'Antonio Abate. Sulla parete di fondo, seduta su un ricco trono intagliato, vi è la Madonna con in braccio il Bambino, affiancata ancora da San Bernardo e da San Giovanni Battista. Questa Madonna è molto particolare e anzi unica nel panorama iconografico di queste valli. Assai bella è la volta, che ospita nelle quattro vele gli evangelisti e i dottori della Chiesa, raggruppati a due a due e seduti su sontuosi scranni; sono riconoscibili dalle iscrizioni in lettere gotiche dipinte sui leggii e si distinguono per atteggiamenti caratteristici e particolari curiosi, tipici nella produzione di questa bottega. San Matteo, per esempio, si è tolto un sandalo e porta il calamo alle labbra, San Marco lo appuntisce e Sant'Ambrogio si fa notare per i piccoli *pince-nez*. Nel sottarco di destra vediamo anche una bellissima Santa Barbara (la torre è il suo attributo iconografico). Se di Hans Clemer si sa che ha lavorato anche presso committenti privati, Pietro Pocapaglia sembra aver operato solo come affrescatore di edifici religiosi. Il *corpus* delle sue opere va dal 1438 al 1480. Pare si sia formato nella bottega di quell'Antonio Pocapaglia protagonista della pittura locale nei primi

decenni del Quattrocento, identificato come il «Maestro di Sant' Albano Stura». A detta dei critici, come riporta il *Dizionario Biografico* Treccani, lo stile del giovane Pietro da Saluzzo a metà Quattrocento mostra

> uno stile autonomo, estraneo alle suggestioni jaqueriane, originale e demodé, di ascendenza lombarda, nei panneggi morbidi e svolazzanti, unito a una vena gotica leggera, nelle figure allungate e chiaroscurali, come si vede nella *Crocifissione con devoti che recitano laudi* oggi nella cappella del Ss. Sacramento nel duomo di Saluzzo, già chiesa di S. Sebastiano, nella *Crocifissione* in S. Agostino a Carmagnola e nell'*Annunciazione* sull'odierna controfacciata di S. Giovanni Battista a Savigliano, databile antecedentemente ai lavori del 1454 [...]. Dopo queste prime opere, lo stile di Pietro subì l'influsso della corrente figurativa più espressionista, attraverso gli anonimi maestri di S. Maria del Monastero e della parrocchiale della Manta, come dimostrano i cicli successivi, nell'avanzata ricerca fisionomica dalla marcata caratterizzazione dei volti.

Le ultime opere di Pietro Pocapaglia si trovano proprio in valle Grana, in San Bernardo, e a Castelmagno, nella cappella Allemandi.

La cappella di Sant'Eldrado alla Novalesa

● UN TESORO ARTISTICO CHE CI RACCONTA ANCHE DI SAN NICOLA

Dove: frazione San Pietro, 4, Novalesa (TO).
Accessibilità: il giorno della festa di Sant'Eldrado l'accesso è libero, altrimenti per orari e modalità delle visite guidate alla cappella (come pure per la visita del complesso e del museo monastico) consultare il sito *www.abbazianovalesa.org*. Info: tel. 0122 653210, info@abbazianovalesa.org. Da Susa si risale la val Cenischia sino a Novalesa. Prima di entrare in paese si svolta a sinistra oltrepassando il ponte.

Ubi fuit praecipium coenobium ex antiquo vocabulo vocatum Novalicium, ed quod novae lucis primordia et sanctitatis exordia ibi exorta noscuntur esse et fundata.
(Da *Cronache di Novalesa*, Einaudi, Torino 1982.)

Novalesa è uno dei luoghi simbolo del Piemonte: situata quasi al termine della val Cenischia, ai piedi del Rocciamelone e del Moncenisio, per secoli è stato punto di passaggio in quanto era uno dei transiti obbligati da e verso la Francia. Fu inoltre un importante centro di spiritualità con il suo grande e influente cenobio. Il periodo di maggior splendore dell'abbazia della Novalesa (così nota e così poco conosciuta) coincide con la reggenza dell'abate Eldrado, nel IX secolo, prima che i saraceni contribuissero a ridisegnare la geografia politica europea (la stessa abbazia, secondo la tradizione, fu da questi saccheggiata e distrutta nell'anno 906). Eldrado fu santo e taumaturgo, e nei pressi della cappella a lui intitolata si trova una fonte le cui acque curerebbero gli occhi; tenuto in grande considerazione dal popolo, liberò la conca di Briançon dai serpenti che la infestavano.
Alla vita del santo abate fanno riferimento gli straordinari affreschi del secolo XII d'ispirazione bizantina che decorano la piccola cap-

Vista absidale della cappella di Sant'Eldrado e il masso caratterizzato
da istoriazioni spiraliformi.

pella che gli è dedicata e che si erge solitaria nel parco a balcone sulle valle. Tesoro artistico non sempre accessibile, rappresenta con le incisioni rupestri spiraliformi presenti su alcuni roccioni lungo la strada che conduce all'ingresso dell'abbazia uno degli elementi di maggior interesse e più intriganti del complesso monastico, che vanta anche altre importanti testimonianze storiche e un interessante museo.
Ogni anno, l'ultima domenica di marzo, una processione si snoda dalla chiesa parrocchiale del borgo sino alla cappella, per poi concludersi con la messa solenne nella chiesa abbaziale. La banda, i coscritti, le donne velate e le autorità religiose accompagnano la teca d'argento che conserva le reliquie di Eldrado e che solo in quell'occasione è possibile venerare. Gli affreschi, però, oltre che le sue, raccontano anche le vicende di san Nicola. Ma che ci fa un santo di solito collegato con Bari nella cappella di Sant'Eldrado?
Nicola era il vescovo di Myra, nell'attuale Turchia. All'epoca delle crociate, nel 1087, mercanti italiani trafugarono i suoi resti, che approdarono a Bari. Un dito del santo, però, trafugato a sua volta

Momenti della storia di San Nicola raffigurata nella cappella.

come reliquia di tutto rispetto, che si poteva donare per ottenere riconoscenza e prestigio, prese la strada per una diversa destinazione e transitò dall'abbazia di Novalesa proprio quando s'iniziavano gli affreschi nella cappella di Sant'Eldrado. La fama di Nicola gli valse un ciclo di pitture, a scapito però di sant'Arnolfo. La venerazione per quest'ultimo era collegata all'importanza che esso aveva nel mondo carolingio quale precursore della dinastia. Gli veniva attribuito un miracolo un po' singolare: durante il suo funerale, in una torrida giornata di luglio dell'anno 641, migliaia di persone accaldate si erano potute dissetare grazie alla birra inesauribile di uno stesso boccale, che tornava sempre a riempirsi. La considerazione per Arnolfo fu però superata da quella per Nicola, che assunse grande rilievo anche nel mondo germanico. Forse perché nei giorni di dicembre in cui cade la sua festa il sole sta per terminare la sua parabola discendente per ricominciare di lì a poco a salire nel cielo. Quello era il periodo nel quale il mondo pagano celebrava il risveglio della natura e formulava i suoi auspici di fertilità con riti ai quali il Cristianesimo aveva sovrapposto il Natale ma senza riuscire a farli scomparire.

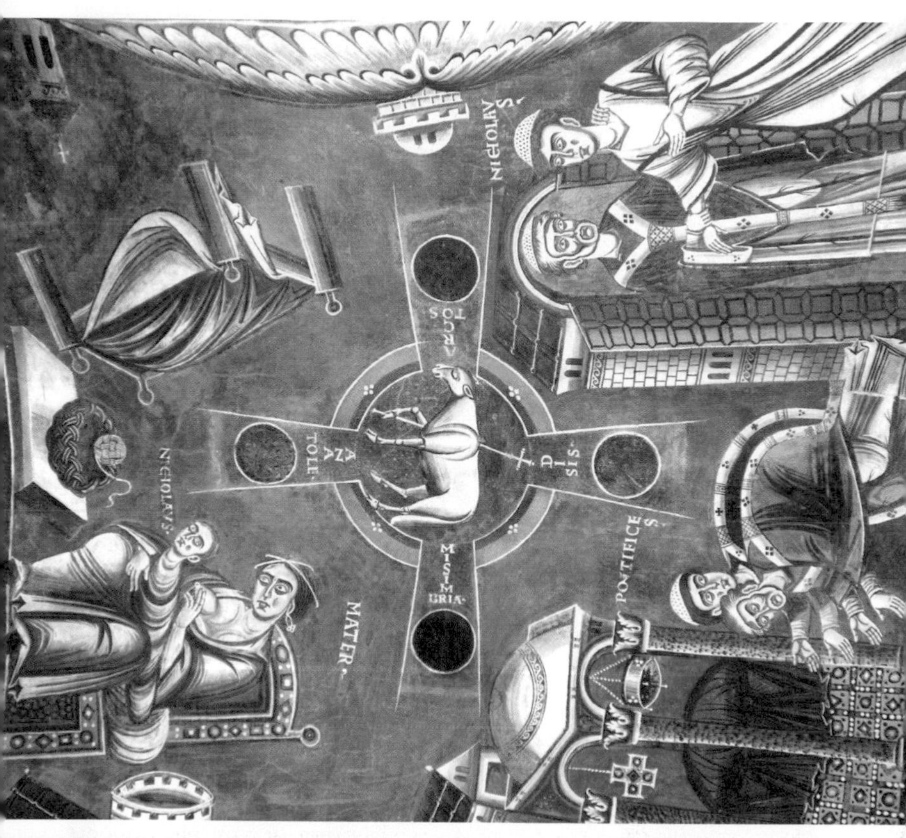

PATER PVELARV
PATERA CIVITAS

Momenti della storia di San Nicola raffigurata nella cappella.
In basso a destra, San Nicola e i Krampus a Silandro nella notte dedicata al santo.

Gli affreschi evidenziano alcuni degli episodi più leggendari legati alla figura di san Nicola. Una prima storia racconta come il santo, benché in fasce, rifiutasse di venerdì il seno materno per rispetto delle disposizioni ecclesiastiche, che per quel giorno imponevano digiuno e penitenza. Un altro episodio mostra Nicola che, a Myra, debellato il culto degli dèi pagani e in partico-

lare di Diana, appare ai suoi devoti mentre navigano, diretti al suo sepolcro, per convincerli a gettare in mare l'olio velenoso avuto dalla dea in sembianze di strega. Un altro riquadro si riferisce alla leggenda del ricco mercante che, caduto in miseria, non avendo denaro sufficiente per provvedere alla dote delle figlie, medita di avviarle al meretricio ma san Nicola le soccorre donando la somma necessaria per il loro matrimonio. Un quarto episodio mostra il santo che salva con il suo intervento miracoloso tre ragazzi che stanno per essere uccisi da un crudele miscredente. Questi due ultimi miracoli forse contribuirono al successo popolare dell'antico vescovo, che nell'immaginario popolare assunse un po' il ruolo del dispensatore di regali e benefici, se meritati. Chissà che in qualche modo le reminiscenze pagane e l'utilità di una figura che ricordasse ai bambini la convenienza dell'essere «buoni» abbiano agevolato la fortuna di san Nicola, che ancora oggi in molti paesi cattolici di lingua tedesca compare la notte del 5 dicembre per portare doni e per tenere a bada gli spaventosi *Krampus*. E sempre lui, attraverso vicende che sarebbe molto lungo raccontare, è diventato Santa Claus, cioè Babbo Natale.

I LUOGHI DEL LAVORO

• Il filatoio Rosso di Caraglio • L'oro di Borca • La fucina del rame di Ronco Canavese • Le torri e la plastica • Il castello Francesetti e la «fucina nuova» • La *machina brusà* • I mulini di Trontano

Il filatoio Rosso di Caraglio

● IL MUSEO DEL SETIFICIO IN PIEMONTE

Dove: via Giacomo Matteotti, 40, Caraglio (CN).
Accessibilità: filatoio di Caraglio da giovedì a sabato, dalle 14.30 alle 19, domenica e festivi dalle 10 alle 19; museo del Setificio Piemontese, visite solo guidate dal giovedì al sabato alle 15, 16.30 e 18; la domenica alle 10.30, 12.30, 15, 16.30, 18 (ingresso a pagamento), tel. 0171 610258. *www.filatoiocaraglio.it.*

Il filatoio Rosso di Caraglio, situato a ridosso dell'ultima collina della Valgrana, deve il proprio nome al colore con cui era dipinta (prima che vi si mettesse mano) la storica facciata di quella strana costruzione che spiccava in fondo allo stradone per chi proveniva da Busca. L'edificio, che con quelle sue torrette potrebbe anche sembrare un castello, è stato restaurato in anni recenti dopo un lungo abbandono. Oggi è gestito dall'omonima fondazione e ospita mostre di livello anche internazionale, eventi e manifestazioni oltre al museo del Setificio in Piemonte. L'allevamento del baco da seta, introdotto in Italia nel VI secolo dai Bizantini, divenne presto una fiorente e redditizia attività economica

Il Filatoio Rosso e un paniere di bozzoli di bachi da seta. A sinistra, la badia corale della val Chisone in concerto al Filatoio in occasione dell'annuale festa.

soprattutto a Firenze, dove dette origine a un'importante corporazione. L'incipiente rivoluzione industriale portò a sviluppare una produzione non più artigianale della seta e dei filati. Lione, in particolare, divenne un importante polo tessile, alimentando una domanda di filato per i suoi opifici che trovava risposta nell'Italia nordoccidentale. L'introduzione nel XVII secolo di macchine idrauliche di nuova concezione contribuì anche in Piemonte al nascere della protoindustria, con una più moderna e produttiva organizzazione del lavoro. Quello di Caraglio è il più antico setificio rimasto in Europa ed

è tra i pochi in Italia a essere stato recuperato a fini espositivi e museali, conservando pressoché intatto l'impianto originario. L'edificio che ospitava il filatoio fu costruito con forme regolari in soli due anni, tra il 1676 e il 1678, ed è organizzato intorno ai tre cortili. Lungo il perimetro esterno è caratterizzato dalla presenza di 5 torri angolari, in cui sono collocate le scale di servizio. Una sesta torre è andata distrutta in seguito ai bombardamenti della seconda guerra mondiale. Altre quattro torri erano presenti lungo la recinzione esterna che racchiudeva, oltre che l'opificio, anche le case degli operai, che potevano così essere meglio controllati scoraggiando la possibilità di furti.
Per ottenere un buon filato di seta erano necessarie diverse operazioni. La principale era la trattura, con la quale i bozzoli, dopo l'uccisione delle pupe (se lasciate sfarfallare le falene forerebbero il loro involucro, impedendo la successiva filatura) e l'immersione nell'acqua bollente venivano srotolati individuandone il capofilo (un singolo bozzolo è formato da un unico filo ininterrotto, lungo da 300 metri a 1000!). A questa operazione provvedevano le operaie più esperte, coadiuvate da un'aiutante. Seguiva la torcitura, con la quale il filo veniva ritorto per aumentarne la resistenza e per dargli quelle caratteristiche dalle quali dipendeva la qualità dei filati. Un canale rialzato entrava nel recinto della fabbrica e azionava le ruote idrauliche del mulino da seta.
Pare che il progetto del complesso sia dovuto a un architetto attivo alla reggia di Venaria. I macchinari che si possono vedere oggi sono stati ricostruiti, dopo attenti studi, sulla base delle ricerche curate dal professor Flavio Crippa. Con queste macchine si otteneva il ri-

Particolari dei macchinari ricostruiti all'interno del Filatoio.

nomato organzino piemontese che, come annotavano nel Settecento i mercanti inglesi Lewis e Loubière, era «la più raffinata seta prodotta» in Europa. Questi complicati congegni, in cui il legno aveva ancora un ruolo determinante, furono introdotti in Piemonte nella seconda metà del Seicento dalla famiglia Galleani, incaricata dal governo sabaudo d'impiantare nuovi opifici nello Stato. Pare che vi si riuscì attraverso una vera e propria opera di spionaggio industriale, che permise di realizzare una prima filanda in borgo Dora, a Torino, poi il setificio di Venaria e quindi quello di Caraglio.
Il filato prodotto dalle macchine era molto migliore di quello fatto a mano e poteva quindi soddisfare meglio la domanda dei tessitori europei (e lionesi in particolare). La filatura restò attiva sino al primo dopoguerra, quando cessò ogni attività produttiva, e il filatoio, abbandonato a se stesso per diversi decenni, rischiò di rovinare.
Con lo stesso biglietto si possono visitare sia il museo (dove guide preparate introducono il visitatore nell'affascinante mondo della seta) sia le mostre (come quella dedicata all'artista parigino Jérémy Gobé e ai suoi 400.000 bozzoli che, srotolati, coprirebbero la distanza tra la Terra e la Luna).

L'oro di Borca

● UNA MINIERA TURISTICA A MACUGNAGA PER SCOPRIRE L'«ORO DEL ROSA»

Dove: località Guia, 1, Macugnaga (VB).
Accessibilità: la miniera della Guia è aperta dal 1° giugno al 15 settembre, dalle 10 alle 11.30 e dalle 15.30 alle 17.30. In altri periodi è possibile visitarla su appuntamento. Per informazioni, cell. 340 3953869 o 347 4722583, minieraradoro@libero.it; *www.minieradoro.it.*

Macugnaga, che oggi appare quasi come un unico centro abitato, è composta da una serie di borgate (Staffa, Borca, Pecetto, Pestarena) che sono antichi insediamenti vallesani. È una colonia di Walser che, in un periodo climatico favorevole, scesero in valle Anzasca superando il difficile valico di monte Moro (nel Quattrocento sul passo transitava una strada percorribile da animali someggiati). Tra gli edifici del paese si trovano stupendi esemplari di antiche case walser, ben conservate, e accanto alla chiesa vecchia c'è ancora il tiglio sotto il quale i maggiorenti locali si riunivano per prendere le decisioni. A Borca, lungo la strada che sale al capoluogo, un bell'edificio del XVI secolo con i suoi arredi offre uno spaccato del modo di vivere di un tempo nell'alta valle Anzasca.
Macugnaga divenne paese minerario nel XV secolo. Il famoso capitano di ventura Facino Cane fu tra i primi a sfruttare i ricchi giacimenti auriferi della valle e l'attività si protrasse con alterne vicende sino agli anni Sessanta del secolo scorso, lasciando molte gallerie che traforano la montagna e scendono nelle sue profondità.

Una ricostruzione delle attività minerarie. A sinistra, il minerale estratto dalla miniera.

Si calcola che tra il 1937 e il 1945 si scavassero anche 40 tonnellate al giorno di minerale, con produzioni annue che raggiungevano i 400 chilogrammi d'oro fino. Il prezioso metallo è tutt'altro che scarso, anzi è piuttosto diffuso. Quelle che sono rare sono le pepite e le masserelle d'oro nativo, perché tale elemento è quasi sempre invisibile e si presenta nascosto in minerali o disciolto nell'acqua del mare, oppure ancora sotto forma di pagliuzze infinitesimali tra le sabbie alluvionali trasportate e depositate dai fiumi. A determinare la convenienza dello sfruttamento è il tenore dell'oro contenuto nelle rocce mineralizzate. A Pestarena e a Macugnaga ce n'è ancora molto ma, salvo qualche eccezione, il tenore aurifero è di pochi grammi per tonnellata di minerale e la resa è troppo bassa per compensare gli alti costi di estrazione.

L'interno della galleria visitabile. A destra, un molinetto per la frantumazione dei minerali auriferi. In basso, il passo di Monte Moro (foto Rosa Maria Bonaffino).

Dal museo walser di Borca, scendendo il torrente (dove sull'altra sponda una fresca e rinomata fontana invita a una sosta) e risalendo la vecchia mulattiera, si giunge al piazzale con parcheggio della miniera d'oro della Guia. Oggi una miniera turistica, la prima aurifera in Italia adattata e resa idonea allo svolgersi in sicurezza di visite. Si tratta di una galleria illuminata e attrezzata a scopo didattico e lunga qualche centinaio di metri, con andamento pianeggiante e alcune diramazioni laterali. Ci sono bacheche espositive, vecchie attrezzature e manichini che danno l'idea delle condizioni di lavoro. Non mancano in fondo all'ultima galleria gli immancabili nanetti, forse fuggiti nottetempo da qualche giardino. Le visite guidate durano circa un'ora. Siccome la temperatura all'interno è fredda e umida, assieme al biglietto, se non siete attrezzati, vi daranno una confortevole giacca imbottita. Tornati all'esterno il piccolo ma accogliente bazar propone in vendita minerali, fossili e souvenir tematici, tra cui il curioso Genepì con pagliuzze d'oro. Sono le uniche che è possibile vedere perché il tipo di mineralizzazione caratteristica del sito non consente di distinguere il metallo a occhio nudo (e quindi non c'è speranza d'imbattersi in qualche pepita). Sotto il sentiero di accesso si possono vedere alcuni mulinetti idraulici grazie ai quali il minerale estratto dalla montagna veniva frantumato per poi essere amalgamato con il mercurio. Si trattava di un'attività collaterale a quella mineraria che, comunque, permetteva a molti paesani d'integrare il proprio reddito. Dal piazzale un bel sentiero segnalato sale a sinistra del torrente e permette di vedere dall'alto i sottostanti lavori minerari. Continuando, in pochi minuti si arriva al lago delle Fate, all'imbocco della val Quarazza, che sta proprio sopra le gallerie.

La fucina del rame di Ronco Canavese

● COME TI FABBRICO UN PAIOLO

Dove: frazione Castellaro, Ronco Canavese (TO).
Accessibilità: per informazioni sull'apertura rivolgersi alla segreteria turistica, tel. 011 8606233, info@pngp. Dalla SP 47, dopo il bivio per Forzo e il ponte, uno stradello sulla destra, chiuso da una sbarra, scende al ponte Mattiot e in cinque minuti conduce alla fucina.

La valle Orco, in passato, è stata sede di miniere anche importanti e tra i minerali ricavati c'era anche il rame. Tra le più note ci sono quelle di Vasario, nella valle di Ribordone, le cui tracce sono ancora ben individuabili. Il rame qui estratto ha contribuito a quelle attività protoindustriali per cui la zona è nota.

La lavorazione del rame era resa possibile dall'abbondanza di acqua e di legname. Se dal secondo si ricavava, attraverso le carbonaie, il combustibile necessario per le lavorazioni a caldo (la carbonella), l'acqua azionava i meccanismi idraulici (trombe idroeoliche e magli) grazie ai quali i panelli di metallo erano trasformati in paioli, marmitte, pentole, alambicchi. Oggi in valle sono ancora attivi alcuni artigiani del rame ma la materia prima non è più fucinata qui, ma di provenienza estera. Vengono importati lamierini che, lavorati e saldati, si trasformano nei manufatti che fanno bella mostra nelle botteghe artigiane e che talvolta sono ancora richiesti dall'industria casearia. A Sparone l'ultima officina tradizionale delle valli è rimasta attiva sino all'inizio degli anni Settanta del secolo scorso.

La fucina da rame di Ronco Canavese è del tipo «alla catalana» e la sua prima citazione documentata risale al 1675. Questa data è incisa su uno spigolo della fucina, insieme alla scritta «Glaudo Calvi», forse il nome del primo proprietario. Dai due magli con relativa forgia, nel 1834 si passò all'impianto di una seconda batteria di tre magli. Anche in questo caso troviamo inciso il nome del nuovo padrone: Domenico Polla Mattiot. Un successivo intaglio, recante la data del 1936, ricorda il passaggio di proprietà ai Magnino di Cuorgnè.

La forgia e la batteria dei magli nella fucina.
A sinistra, donne in costume della val Soana di fronte alla ruota idraulica della fucina.

La fucina, restaurata e aperta al pubblico, costituisce il nucleo principale dell'ecomuseo del Rame, di cui fanno parte anche il museo e la scuola di Alpette. L'ecomuseo è inserito nella rete degli ecomusei della Provincia di Torino e propone programmi didattici per le scuole, ospita laboratori culturali, manifestazioni ed eventi. Nella fucina il percorso di visita ripercorrere le antiche fasi della lavorazione del rame secondo le tecniche metallurgiche del periodo preindustriale, che prevedevano, oltre alle forge alimentate dalla tromba idroeolica (visibile all'esterno), anche magli idraulici, giganteschi martelli a «testa d'asino» mossi da un albero a camme azionato a sua volta da una ruota idraulica.
Tutto è organizzato in relazione alle diverse fasi della produzione dei manufatti in rame. Si distinguono infatti un forno per la fusione del metallo, un bancale di appoggio per la colata, una forgia grande e

Costruzione della carbonaia ed estrazione del carbone di legno. Paioli in rame.

una piccola; una zona per la tranciatura e la pesatura e, per finire, due batterie di cinque magli. In entrambe le batterie la ruota è in pietra e le pale sono in ferro anche se s'ipotizza che in origine fossero in legno. L'acqua, attraverso un canale di adduzione, veniva derivata dal torrente con uno sbarramento in muratura, fascine e altro materiale di intasamento.

Nei locali accanto alla fucina è stato realizzato un moderno laboratorio didattico con audiovisivi e una postazione multimediale dove assistere alla proiezione di brevi documentari che illustrano l'uso quotidiano dei manufatti in rame nelle attività contadine tradizionali, come la mungitura e la preparazione di burro e formaggi. Inoltre vi è una mostra dedicata ai *magnin*, i calderai itineranti, che praticavano uno dei mestieri tipici dell'emigrazione stagionale propria di queste valli. Gli artigiani partivano alla ricerca di pentole e paioli da riparare ma anche di rottami da riforgiare percorrendo le valli e le pianure al di qua e al di là delle Alpi. Proprio i *magnin*, grazie alla loro abilità manuale, furono i primi battilastra della nascente industria automobilistica piemontese.

Le torri e la plastica

● LA STORIA DI UN TERRITORIO E LA STORIA DI UN MATERIALE CHE HA CAMBIATO IL MONDO

Dove: via Marconi, 30 (museo della Plastica); via Torre Ferranda (museo del Territorio), Pont Canavese (TO).
Accessibilità: museo del Territorio, apertura il sabato e la domenica dalle 14 alle 17; museo della Plastica, apertura la seconda e la quarta domenica del mese e tutte le domeniche di agosto, dalle 14.30 alle 17.30.
Tel. 0124 862511, communication@cannon.com oppure info@comune.pontcanavese.to.it. *museo.cannon.com.*

La Tellaria e la Ferranda, le due torri che dominano l'abitato di Pont Canavese, si guardano in cagnesco da almeno 800 anni e, per una volta, Arduino non c'entra nulla, perché gli storici ci dicono che le due torri sono più recenti delle sue vicende. La Ferranda fu voluta dai conti di Valperga, la Tellaria dai loro potenti rivali, i San Martino. I Valperga e i San Martino erano due importanti casate in eterna lite tra loro e si può immaginare che le discussioni, tra le due torri, avvenissero a colpi di catapulta o di balista. A mettere d'accordo tutti ci pensò poi il maresciallo De Brissac che, nel 1552, nel corso del conflitto franco-spagnolo, danneggiò la Ferranda. La torre, restaurata dopo un lungo abbandono, è divenuta sede del museo del Territorio. Una ripida scala ci porta all'ingresso, situato come in molte torri medievali a diversi metri di altezza per motivi di sicurezza. Altre scale collegano tra loro i diversi piani, ciascuno dei quali racconta di un aspetto delle valli: la storia e la preistoria, il parco del Gran Paradiso con la sua fauna e i suoi stambecchi, la lavorazione del rame (arte in cui i pontesi erano maestri). Un ultimo ripido passaggio porta al terrazzo sommitale, da cui si gode un gran bel panorama sul paese e sulle valli. Ai piedi della

Gli edifici che ospitano il museo e alcuni oggetti in plastica della collezione.
A sinistra, le torri che sovrastano il paese.

torre, verso la val Soana, è ben evidente la manifattura di Pont, il vecchio cotonificio sorto per sfruttare l'energia idraulica dei fiumi della zona e coinvolto anch'esso nella crisi dell'industria cotoniera piemontese. Nelle palazzine di rappresentanza, divenute a partire dal 1961 sede della Sandretto (azienda a suo tempo leader nella produzione di presse per lo stampaggio di materie plastiche) è ospitato

Telefoni e plastica. Interno della palazzina della direzione e il laboratorio di cucito nella filatura.

appunto il museo della Plastica, oggi di proprietà del gruppo Cannon, attivo in diversi settori industriali. La collezione è nata intorno al 1985 per iniziativa della società «Sandretto industrie» e si è andata arricchendo di nuove acquisizioni nel corso degli anni; pensata dapprima come mostra itinerante ha trovato nella palazzina liberty della manifattura di Pont la sua collocazione stabile. Qui 2500 pezzi, anche se non tutti esposti, accompagnano il visitatore attraverso cent'anni di storia delle materie plastiche, evidenziando le tappe fondamentali delle tecnologie, delle scoperte e degli sviluppi produttivi fino ai giorni nostri. È davvero sorprendente scoprire quanta parte abbia la plastica nella nostra vita quotidiana. Forse non c'è materiale che abbia influenzato così tanto la nostra esistenza, anche creando preoccupanti problemi ambientali relativi al suo smaltimento e al suo accumulo nei mari. Le materie plastiche, con maggior precisione denominate *polimeri*, sono sostanze composte da macromolecole ottenute mediante procedimenti chimici di sintesi. La loro storia inizia a metà Ottocento, quando Alexander Parker, alla ricerca di sostituti della gomma naturale, brevettò una sostanza ottenuta dal nitrato di cellulosa che chiamò «parkesine». Come si legge sul sito del museo, questo materiale «allo stato solido, plastico o fluido [...] si presenta-

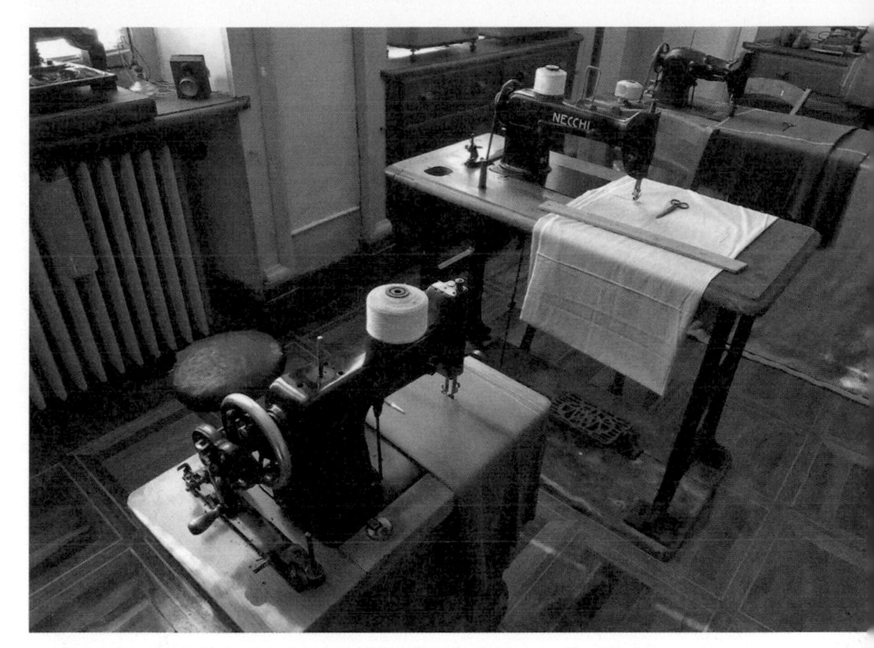

va di volta in volta rigido come l'avorio, opaco, flessibile, resistente all'acqua, colorabile e si poteva lavorare all'utensile come i metalli, stampare per compressione, laminare». Quasi in quegli anni, John Wesley Hyatt, allettato dai 10.000 dollari promessi dall'industria a chi fosse riuscito a sostituire l'avorio per le palle da biliardo, apportando alcune modifiche alla parkesine brevettò il 12 luglio 1870 la celluloide (senza la quale non ci sarebbe stato il cinema!).

Per 50 anni il nuovo materiale la fece da padrone, tanto che ne sono state elencate ben 25.000 applicazioni differenti. Il nuovo ordine mondiale, lo sviluppo della chimica organica a partire dal petrolio e le necessità belliche determinarono a partire dagli anni Dieci del secolo scorso nuove scoperte e nuove invenzioni. Fu per esempio grazie al polietilene a bassa densità, il materiale termoplastico oggi più diffuso al mondo, che gli inglesi poterono approntare con cavi sottomarini la rete di collegamento delle stazioni radar grazie alle quali vinsero la battaglia d'Inghilterra. Le più recenti frontiere sono rappresentate dai superpolimeri come i policarbonati, dotati di eccezionali caratteristiche di resistenza e leggerezza e in grado di sostituire i metalli.
Il museo, dopo la riapertura nel 2015, è stato ampliato con nuovi locali dedicati all'antica filatura di Pont, con arredi originali che ne ripropongono gli uffici e i laboratori, veri gioielli di archeologia industriale.

Il castello Francesetti e la «fucina nuova»

● UN ANTICO CARNEVALE E UN MESTIERE CHE RISCHIA DI SCOMPARIRE

Dove: Mezzenile (TO).
Accessibilità: il castello ospita la biblioteca, il centro visite del SIC di Pugnetto, attività commerciali (un'eccellenza artigianale del cioccolato) e, nella cappella gentilizia, mostre temporanee. La «fucina nuova» è aperta e visitabile tutti i venerdì pomeriggio, quando i chiodaioli riaccendono la forgia. Dalla provinciale di fondovalle si devia a sinistra per raggiungere il centro del paese. Di fronte al municipio iniziano due percorsi didattici (uno breve, l'altro più lungo) che consentono di visitare il territorio alla scoperta delle antiche attività.

Nella Villa bassa di Mezzenile il monumento al chiodaiolo e il castello-palazzo Francesetti rappresentano gli elementi più significativi del paese. La famiglia Francesetti, originaria di Ceres e poi trasferitasi a Torino, ebbe banchieri, avvocati, notai e nell'Ottocento ottenne in feudo Mezzenile con il suo castello. Il più noto esponente della famiglia fu il conte Luigi, già sindaco di Torino e imprenditore minerario sull'Uja di Calcante, la montagna che sovrasta il paese. Il vasto complesso architettonico del castello è frutto delle trasformazioni ottocentesche di una più antica dimora signorilc, edificata nel XVII secolo sulle rovine di un precedente edificio. Il conte ne promosse la ristrutturazione per adeguarne le strutture al rango della sua famiglia, senza però stravolgerne l'impianto originale. Il castello si componc di diversi e distinti edifici che svolgevano, oltre alla funzione residenziale, anche quella legata all'attività economica e al ruolo sociale dei Francesetti: il palazzo con quattro torri e il cortile, la foresteria, la scuderia e la rimessa delle carrozze, le stalle, la casa dei fattori, il forno, la cappella gentilizia dedicata a Sant'Anna collegata alla torre di nord-ovest del palazzo per mezzo di una piccola galleria e infine il giardino, circondato dall'alto muro che rinchiude l'intero complesso. Oggi tutto ciò è di proprietà pubblica; ancora in fase di restauro, rappresenta un contenitore multifunzionale. Nel cortile si danno appuntamento, nel giorno di Carnevale, le maschere tradizionali del paese (il vecchio e la vecchia, i signori, gli sposi, i selvatici, il soldato) che, accompagnate dal frastuono dei diavoli, raggiungono

poi la sottostante piazzetta dove il *branlou*, il corteo carnevalesco, sfilerà accompagnato da una particolare marcia che la banda musicale esegue come una ripetitiva litania. Questo di Mezzenile è un carnevale antico, dai significati arcaici, ben diverso da quelli ai quali si è abituati.

Nella Villa superiore si trova la «fucina nuova», costruita nel 1850 e restaurata nel 1994. È l'ultima officina protoindustriale sopravvissuta e ancora in attività. Ad accendere i fuochi e a battere sulle incudini c'è un'associazione di volontari che tutti i venerdì pomeriggio si ritrovano per tenere in vita quella che per secoli, accanto all'agricoltura e all'allevamento, fu la principale attività economica dei valligiani (degli uomini ma anche delle donne). Oggi l'unica miniera ancora in attività in Piemonte è quella di talco in alta val Germanasca, ma in un recente passato molti furono i minerali cavati con successo e profitto. Tanto per ricordarne qualcuno, l'oro della valle Anzasca e della Valsesia, il cobalto di Usseglio, il rame della valle Orco. Anche le valli di Lanzo ebbero i loro cantieri, da cui si ricavava tra l'altro dell'ottimo ferro. Il metallo veniva fuso e fucinato dalle fonderie che si trovavano proprio qui a Pessinetto e che alimentarono una fiorente produzione di manufatti metallici nei dintorni. Se a Ceres i fabbri si specializzarono in serrature, a Mezzenile e nel vicino paese di Tra-

Il palazzo-castello dei conti Francesetti, il monumento ai chiodaioli di Mezzenile e, in basso, il Diavolo, personaggio centrale del carnevale tradizionale, e il conte e la contessa Francesetti.

La fucina nuova con la «tromba eolica».
La lavorazione dei chiodi e la carbonaia didattica.

ves furono chiodaioli. Non c'era gruppo familiare o consortile che non possedesse una piccola fucina. Ogni officina occupava pochi metri quadrati: al centro del locale c'era la forgia, in cui veniva insufflata l'aria tramite un mantice o tramite la più complessa tromba idroeolica. Qui i tondini di ferro raggiungevano il calore rosso, la temperatura adatta per poterli forgiare. Tutt'intorno vi erano le postazioni, blocchi di pietra sui quali erano inserite le incudinelle, per tranciare, fare la punta e infine la capocchia ai chiodi. Per Mezzenile Mario Caiolo ha accertato la presenza di almeno 134 fucine. Mentre a Traves i laboratori erano per lo più familiari e si trovavano al piano terra dell'abitazione, a Mezzenile erano quasi sempre situati in edifici appositi, dove lavoravano più artigiani. Le fucine non si trovavano soltanto nei pressi delle borgate e in prossimità dei corsi d'acqua, indispensabili per azionare le trombe idroeoliche, ma talvolta anche negli insediamenti della pastorizia stagionale, le *miande*. Così i margari che salivano all'alpeggio potevano continuare la produzione anche durante i mesi estivi, senza per questo trascurare la fienagione e il bestiame al pascolo.

A inizio Novecento, nel solo Comune di Mezzenile la produzione settimanale di chiodi era ancora cospicua, benché le miniere di ferro dell'Uja di Calcante e di altre località in valle fossero esaurite o divenute antieconomiche e i fabbri dovessero approvvigionarsi acquistando altrove materiali ferrosi. Però, per fare un chiodo a mano occorrevano circa trenta secondi: impossibile competere con le macchine della nascente industria metallurgica. La produzione incominciò quindi a declinare; molti chiodaioli, mettendo a profitto le loro competenze, trovarono lavoro nelle fabbriche metal-

lurgiche della bassa valle. Negli anni precedenti la guerra gli artigiani ebbero ancora commesse importanti per le forniture militari, poiché non erano state messe a punto macchine per produrre particolari tipi di chiodi richiesti dalle esigenze belliche.

Nel secondo dopoguerra però la fine fu definitiva: le ultime fucine rimasero in funzione sino a metà degli anni Sessanta, anche se qualche chiodaiolo continuò a occuparsi di piccole produzioni di nicchia.

Nei pressi della «fucina nuova», dove volendo si può persino imparare il mestiere, è stata allestita anche una piccola carbonaia. Il carbone di legna era indispensabile sia per le forge sia per le fonderie e finché ci fu legname adatto fu prodotto in loco. Gli spiazzi dove si trovavano le carbonaie, gli airali, s'intuiscono ancora percorrendo i sentieri escursionistici montani. Appena sopra la fucina si possono vedere i ruderi di altre officine (la *fusina Tòimia* e la *fusina Coussatina*) e del lavatoio comunitario.

Per saperne di più: Mario Caiolo, *Gli artigiani chiodaioli di Mezzenile*, ed. Pro loco e Comune di Mezzenile, Mezzenile 2010.

La *machina brusà*

● LA FILATURA SERRA LUNGO LA «VIA DEI TESSITORI»

Dove: via Leonardo da Vinci, Pettinengo (BI).
Accessibilità: i ruderi sono sempre visitabili; a volte le scuole di Pettinengo o l'associazione Pacefuturo organizzano visite guidate oltre che alla *machina brusà* anche ad altri luoghi caratteristici del territorio comunale. Provenendo da Biella, una volta raggiunto il paese di Pettinengo, si supera l'ingresso di villa Piazzo (gli alberi secolari del suo parco meritano una visita) e si svolta a sinistra, posteggiando all'inizio di via Leonardo da Vinci. Si scende poi per la stradina (che diventa presto sterrata), si passa davanti a una casa e, arrivati a un ponticello sul rio Tamarone, si prende a destra costeggiando il corso d'acqua per qualche decina di metri. *www.pacefuturo.it/la-machina-brusa.*

Pettinengo è un paese che si trova più o meno al centro della provincia di Biella e che per la sua panoramica posizione viene detto il «Balcone del Biellese». In questa zona, nel Settecento, si sviluppò l'industria laniera a partire dall'attività dei pastori che, durante i mesi invernali, occupavano i loro periodi di scarsa attività producendo con la lana delle proprie greggi filati che venivano poi venduti nei paesi vicini. Nel Biellese non esistono miniere di carbone e quando le produzioni tessili passarono dall'ambito familiare a quello industriale il problema dell'energia per far muovere le macchine fu risolto sfruttando l'acqua dei numerosi torrenti che percorrono montagne e colline della zona. Il rio Tamarone è un affluente del torrente Strona e nasce attorno agli 800 metri di quota dal monte Turlo, scendendo verso nord-est in una valletta oggi in buona parte coperta di boschi. Lungo il corso d'acqua, a circa un chilometro dal centro di Pettinengo e poco a valle di un ponticello che permettere di raggiungere a piedi Selve Marcone, nel 1835 i fra-

I monumentali alberi di villa Piazzo e, in alto, la *machina brusà*.

telli Serra costruirono una fabbrica nel luogo dove prima sorgeva il molino Faccio. Si trattava di una filatura (o *machina*, come venivano allora chiamate le fabbriche) che produceva, oltre al filato, anche panni di lana e maglieria, in particolare farsetti. Il farsetto è un giubbino maschile piuttosto spesso, di solito abbottonato sul davanti, al quale in alcuni casi potevano essere aggiunte le maniche. Come materiali da costruzione dell'opificio vennero utilizzati sopratutto pietra, legname e malta di provenienza locale. Poco a monte dello stabilimento, per immagazzinare l'acqua necessaria al movimento delle macchine, fu costruita una grossa vasca di carico alimentata dalle acque del rio e tuttora presente. Il vascone in pietra sfruttava in parte la naturale pendenza del fianco della valletta ed era collegato alla filatura da una roggia oggi scomparsa, lunga circa un centinaio di metri. La grande vasca venne utilizzata anche come *masera*, cioè come maceratoio per la canapa. La produzione del filato di canapa prevedeva infatti che gli steli della pianta venissero lasciati a lungo in acqua liberandoli dalle parti molli e poi battuti in modo da ricavarne la fibra da filare. L'attività produttiva del maglificio Serra durò alcuni

La valletta del rio Tamarone e la masera a monte del vecchio stabilimento.
A destra, i pannelli che illustrano la storia del sito.

decenni, finché nel 1898 un incendio distrusse lo stabilimento. Le attività tessili, a quel tempo, si erano ormai svincolate dalla vicinanza dei corsi d'acqua ed erano state in buona parte spostate in località più facili da raggiungere che non la valletta incassata del Tamarone. I resti della fabbrica vennero quindi abbandonati a sé stessi e furono pian piano invasi dalla vegetazione. Nei pressi del ponticello sul Tamarone si trovava un altro sito produttivo che sfruttava le acque del torrente, il molino Azario. Oltre che alla molitura dei cereali l'e-

dificio servì all'inizio anche da follone: vi si eseguiva cioè la follatura, un procedimento di compressione in acqua dei panni che ne fa infeltrire le fibre, conferendo al tessuto una maggiore resistenza. Il molino fu costruito nel 1856 e restò in attività fino alla seconda guerra mondiale, cioè molto più a lungo della filatura. Fu demolito negli anni Ottanta del Novecento e oggi l'unico elemento che ne ricorda la presenza è un gradone costruito per sostenere la canaletta che portava l'acqua del Tamarone alla grande ruota che azionava le macine. I ruderi della sottostante fabbrica sono invece tuttora imponenti e costituiscono un esempio suggestivo e non troppo conosciuto di archeologia industriale. Nei suoi pressi passa la «via dei Tessitori», un itinerario pedonale che ripercorre il tragitto che nell'Ottocento facevano gli operai per recarsi dalle proprie abitazioni alle fabbriche nelle quali lavoravano.

I mulini di Trontano

● LE ANTICHE RUOTE IDRAULICHE DEL RIO GRAGLIA

Dove: rio Graglia («*i Mulit*»), Trontano (VB).
Accessibilità: libera, per l'apertura dei mulini contattare il Comune, tel. 0324 37021. Si raggiunge il sito dal paese, seguendo la vecchia mulattiera oppure la strada asfaltata che in parte l'ha sostituita.

Trontano, grazie alla sua favorevole esposizione allo sbocco della val Vigezzo, sviluppò più che altri paesi un'agricoltura di montagna che andava oltre la mera sussistenza. Pascoli ma anche campi di segale e soprattutto vigneti. Il vino Prünent, prodotto con uve nebbiolo, era un tempo apprezzato; poi, pressoché scomparso, in anni recenti è

stato oggetto di un progetto di recupero e valorizzazione. Nel territorio di Trontano si conservano ancora i resti di numerosi mulini utilizzati per la molitura di segale e di granaglie. Inutile però cercare d'individuarli grazie alla grande ruota esterna posta in verticale: a Trontano, come in tutta l'Ossola, sono più discreti e si presentano come piccoli edifici attraversati dall'acqua, che ospitano nello spazio del *carcerario* la loro ruota idraulica orizzontale, il ritrécine. Questo è l'antesignano delle moderne turbine e, tramite un asse, fa ruotare la macina superiore (a cui è collegato), che agisce per sfregamento su quella inferiore, che è invece fissa. Un meccanismo a leva permette di regolare l'altezza della mola e quindi adattarla alle esigenze del macinato. Non essendoci ingranaggi la struttura, pur rustica, è funzionale, adattabile e riparabile con facilità. La velocità di rotazione della mola è regolata dall'intensità del flusso dell'acqua indirizzato contro le pale del rotore. Le mole erano ricavate utilizzando la pietra locale, lavorata da sapienti scalpellini. Ogni tanto dovevano essere

Una macina da mulino. Vigne e baite in pietra con tetti in beole.

rabbigliate, cioè occorreva ripristinare la ruvidezza della pietra e gli spigoli delle scanalature. Bisognava anche badare che la molitura non scaldasse troppo la farina, perché si sarebbe rovinata. Questo tipo di mulini presentava l'inconveniente che ogni ritrécine poteva supportare una sola macchina, il che comportava dimensioni ridotte e, quindi, una bassa resa. A ciò si ovviava con la costruzione di più mulini, a cascata, che sfruttavano a livelli differenti lo stesso corso d'acqua. È questo il caso del rio Graglia, che percorre una valletta

Il ponte, i mulini e la ferrovia Vigezzina.

a est del paese dove si contano sei di queste strutture. La zona, proprio per via delle macine, era denominata «*i Mulit*». Gli edifici dei mulini, realizzati in pietra a secco con poca malta, risalgono alla fine del Seicento, ma sono con certezza stati costruiti su altri edifici più antichi che avevano la stessa funzione. Vi si macinava la segale, localmente chiamata *biava*, la cui farina era l'ingrediente di base del tipico pane nero (quest'ultimo, rivisitato, è diventato uno dei prodotti tipici dell'Ossola e della val Vigezzo). Tanto i mulini quanto il forno da pane, il torchio per la spremitura dell'uva, il lavatoio erano, oltre che servizi essenziali capaci di garantire l'indipendenza economica della comunità, anche elementi importanti della vita sociale, allo

stesso modo della chiesa e della piazza. Tutta l'area dei mulini, che s'individua facilmente dall'alto, è stata recuperata dalla Comunità Montana Valle Ossola (ora Unione dei Comuni) nell'ambito del progetto *Il ciclo della segale*. Gli edifici, i canali per l'acqua, i gruppi di macinatura e il ponte sono stati restaurati o ricostruiti; lungo il percorso di visita sono presenti pannelli didattici che illustrano il funzionamento delle macchine e le colture cerealicole del passato. Attraversato il ponte, risalendo il versante opposto e superando la linea ferroviaria si può ritornare sulla strada asfaltata in prossimità del paese. La ferrovia è quella turistica che collega Domodossola (e anche Trontano) con Locarno. Un viaggio dalle molte suggestioni che val la pena di fare. Ma questa, come si usa dire, è un'altra storia.

I LUOGHI DELLA STORIA

- L'imprendibile rocca di re Arduino • Il Sacro Monte di Domodossola
- Il castellazzo di Condove • Il cimitero monumentale di Oropa
- La Trappa di Sordevolo • Il lavatoio di Malesco

L'imprendibile rocca di re Arduino

A SPARONE UN'ANTICA CHIESA E I RUDERI DEL CASTELLO ARDUINICO

Dove: località Rocca, Sparone, (TO).
Accessibilità: l'accesso al sito è libero, l'interno della chiesa è visitabile nei mesi estivi, di solito la domenica pomeriggio. La rocca di Arduino è situata in sinistra orografica del torrente Ribordone ed è raggiungibile percorrendo a piedi (indicazioni) un breve e facile sterrato che sale con qualche tornante raggiungendo la cima della collina.

Sparone, in valle Orco, rimanda alle vicende di Arduino d'Ivrea, primo re d'Italia. Sulla collina che sovrasta il paese, la Motta, si trovano infatti le rovine della fortezza dove, come ricorda una lapide commemorativa, nel 1004 il celebre sovrano sostenne l'assedio durato più di un anno da parte delle forze imperiali, uscendone poi vittorioso. Gli assedianti non erano però le truppe dell'impero in senso stretto, perché il sovrano era ritornato in Germania per problemi nelle marche orientali, dove sconfinavano bande di razziatori polacchi, bensì le milizie del vescovo vercellese Leone, alleato dell'imperatore. L'esistenza della rocca è segnalata già prima dell'anno Mille e, a quell'epoca, la posizione era pressoché inespugnabile. Dopo la morte di Arduino, avvenuta nel 1015, si hanno notizie del castello ancora nel 1185 e nel 1193, in cui esso risulta proprietà congiunta dei San Martino e dei Valperga. Dopo una breve occupazione da parte del marchese di Monferrato la rocca

La collina della Motta con il campanile di Santa Croce
e gli scarsi resti della rocca arduinesca.

venne poi ceduta ai Savoia. In questi avvicendamenti il castello aveva già subito pesanti danneggiamenti e venne del tutto diroccato durante le lotte fra spagnoli e francesi. Per celebrare la sua vittoria pare che Arduino si sia fatto promotore della costruzione della chiesa di Santa Croce, che fu in seguito e per molto tempo la parrocchiale di Sparone. L'edificio è databile al 1025 ed è attiguo ai ruderi del castello. Al suo interno l'elemento più rilevante sono gli affreschi scoperti durante i recenti restauri nella zona absidale, databili tra la fine del Trecento e i primi anni del Quattrocento, attribuiti a un pittore formatosi nella tradizione postgiottesca. Ai due lati dell'abside, sotto i due pennacchi a tromba posti tra le pareti laterali e l'arco absidale, è conservata un'*Annunciazione* con l'arcangelo Gabriele a sinistra e la Vergine a destra. Nell'abside è stato rinvenuto un ciclo pittorico già coperto da tinteggiatura (con probabilità durante i lavori di restauro effettuati nel 1882 dal parroco di allora). Nel catino absidale è raffigurato il Cristo Pantocratore in mandorla con i quattro evangelisti e, nella parete sottostante, i dodici apostoli. I lavori di restauro hanno pure rilevato la presenza di altri affreschi più antichi, forse romanici, coperti da quelli successivi.

La chiesa di Santa Croce, il bassorilievo che ricorda le gesta di re Arduino, un portale e un tratto di muro superstite.

La figura di Arduino, marchese d'Ivrea (955-1015) è divenuta mitica in Canavese. Postosi a capo dell'opposizione antimperiale è incoronato re d'Italia il 15 febbraio del 1002 nella chiesa di San Michele e appoggiato non solo dai piccoli vassalli, ma anche dalle grandi famiglie feudatarie del tempo, come gli Obertenghi della Liguria. Sua moglie Berta proviene da questo casato, che diverrà poi la famiglia Este. Nel giugno 1002, Enrico II di Baviera, nuovo imperatore, manda il marchese di Verona Ottone di Carinzia a combattere Arduino, che sconfigge le milizie imperiali a Campo di Fabrica, tra Verona e Vicenza. Ma quando poco dopo Enrico II scende egli stesso in Italia con un potente esercito, Arduino è battuto, anche per la defezione di una parte dei suoi stessi alleati.

Gli affreschi dell'abside di Santa Croce (foto Laurom).

Con i suoi fedeli si rifugia allora nella rocca di Sparone, dove resiste agli imperiali che, dopo un anno d'inutili tentativi, abbandonano l'assedio. Arduino però è stanco e sfiduciato; abdica e si ritira penitente presso l'abbazia di Fruttuaria a San Benigno, che ha contribuito a edificare, dove morirà nel dicembre del 1015 vestendo il saio benedettino.

Alla leggenda di Arduino è legata anche un'altra fortificazione situata sulla montagna di Sparone, castel Pertica. In molti ne hanno parlato, ma in pochi l'hanno visitata perché la località è accessibile soltanto tramite antichi sentieri non molto frequentati. Il complesso è oggi costituito da un lungo fabbricato a pianta rettangolare posto su un pendio piuttosto in salita e comprende tre corpi di fabbrica. Due sono su tre piani fuori terra e sono di epoca medievale; il terzo, quello più a monte, è stato realizzato in epoca moderna. Nei pressi vi sono altri rustici in passato utilizzati come alpeggi. Il tetto in parte crollato e il degrado generalizzato non consentono di farsi un'idea precisa dell'insieme, però pare evidente che le descrizioni fatte dagli storici siano un po' eccessive e fantasiose. A parlarne per primo fu Pietro Azario, il cronista medievale che ci ha lasciato il *De Bello Canapiciano*:

> Giovanni di Valperga il maggiore [...] con gran numero di fanti e di balestrieri si spinse in Val Soana donde deriva il fiume Orco [...] con l'inganno tentò di occupare il castello di Pertica prodigiosamente eretto nella parte più alta della valle Soana. Ma contro di esso non sferrò alcun assalto poiché esso, costruito su una rupe alta un miglio, aveva l'ingresso in mezzo alla rupe mentre una torre ne difendeva l'ingresso e il passaggio obbligato: con la difesa dei quali nessuno poteva né entrare né uscire.

Piero Pollino, autore negli ultimi anni Settanta di una guida delle valli Orco e Soana, scrive a proposito di questa fortificazione:

> Secondo la tradizione popolare esisteva già ai tempi di Arduino, il quale contribuì a rinforzarla talmente che sarebbero bastati quattro uomini a difenderla da ogni assalto; alcuni poi sostengono addirittura che il castello fosse collegato da un condotto sotterraneo alla Rocca di re Arduino, che sorge su di un poggio ad est di Sparone [...]. Oggidì sono ancora visibili i grandiosi ruderi sepolti da una boscaglia: i resti di una torre, una gran vasca di pietra, una cisterna, alcuni anelli di ferro infissi a pareti dirupate, che servivano probabilmente per fermare le cavalcature.

Due sono i percorsi principali per salire a Pertica: uno è facile e abbastanza ben segnalato e parte da Ribordone; l'altro, più lungo e impegnativo, parte da Sparone e ha qualche tratto difficoltoso e non troppo evidente, perché nonostante i ripetuti lavori di pulizia tende a essere invaso dai rovi.

Per saperne di più: Angelo Paviolo, *Il castello di Pertica. Una casaforte della montagna canavesana*, Lions Club Alto Canavese, San Giorgio Canavese 1992.

Il Sacro Monte di Domodossola

● IL COLLE MATTARELLA E IL CONVENTO ROSMINIANO

Dove: borgata Sacro Monte, 5, Domodossola (VB).
Accessibilità: ingresso libero con orari variabili al Sacro Monte, all'area archeologica e ai giardini del colle Mattarella. Visite guidate e possibilità di soggiorni spirituali individuali, a coppie e a gruppi nella foresteria del convento rosminiano. Accesso pedonale seguendo la via Crucis dal centro di Domodossola (15 minuti dall'inizio della salita) o in auto sino al piazzale del parcheggio (parcheggio coperto poco prima dell'ingresso).

Il colle Mattarella (o Matarella), appena sopra la città di Domodossola, mette insieme molte cose: una riserva regionale, un'area archeologica, le rovine di un castello medievale distrutto dagli svizzeri nel XVI secolo, un Sacro Monte tutelato dall'Unesco e un convento con noviziato dei padri Rosminiani. Il Sacro Monte Calvario, la più settentrionale di queste realizzazioni in Piemonte, si deve ai padri cappuccini Andrea da Rho e Gioacchino da Cassano che, a partire dal 1656, dettero inizio ai lavori per l'allestimento di un percorso devozionale che permettesse ai pellegrini di ripercorrere visivamente la Passione di Cristo. Il primo edificio sacro a essere realizzato fu il santuario del Crocifisso, che ingloba le prime due cappelle. Le altre furono edificate negli anni seguenti nel recinto sommitale e lungo la via lastricata che sale dalla città. La cima del colle era già occupata da lungo tempo da un castello, eretto per difesa dalle scorrerie dei vallesa, che scendevano a insidiare i milanesi. Ricordiamo che l'Ossola ha storicamente gravitato nell'area lombarda e milanese e solo con la pace di Utrecht venne aggregata ai domini dei Savoia e quindi al Piemonte. Di quel castello sono ben visibili i ruderi delle muraglie esterne, del maschio (la torre principale) e di una posterla, mentre altri resti sono di più difficile identificazione. All'inizio di questo secolo vi sono stati compiuti saggi di scavo archeologici, ben illustrati dalle bacheche informative situate lungo il percorso che permette la visita della sommità del colle. I reperti dovrebbero essere quanto prima oggetto di un'esposizione.

Nel 1828, quando Antonio Rosmini arrivò sul colle, la fabbrica del Sacro Monte era ancora lontana dall'essere compiuta. A lui si deve

Domodossola vista dal colle Mattarella e l'ingresso alto del convento rosminiano e la cappella dedicata a San Michele.

Il busto di Rosmini e lo scrittoio nella cella del beato. In basso, un affresco ricollocato nel refettorio. A destra, il giardino del convento e la peschiera a forma di lago Maggiore.

il nuovo impulso che portò alla realizzazione di quindici cappelle e del convento. Il fatto che i lavori del percorso devozionale si siano protratti per quasi due secoli ha determinato una profonda differenziazione architettonica delle cappelle (il cui stile spazia dal barocco al neoclassico), che hanno visto susseguirsi diverse generazioni di artisti. I padri Rosminiani consentono la visita del convento, in cui si trova la cella di Antonio Rosmini con le sue reliquie, il refettorio dove si possono ammirare affreschi provenienti da chiese ossolane qui custoditi dopo essere stati rimossi e i bellissimi giardini. Questi ultimi sono popolati da molte specie interessanti e comprendono gli orti, il vigneto, piante centenarie come la sequoia e, in basso, in

quello che era stato il campo da calcio dei padri, un giardino botanico sperimentale. Nella fontana-laghetto, che ha la forma del lago Maggiore rovesciato, sono allevate trote di razze autoctone. Si possono ancora vedere un vecchio torchio per noci, la cappella dedicata a San Michele, dove incontriamo una rappresentazione della Sacra di San Michele (ai padri Rosminiani è infatti tutt'ora affidata la custodia della storica abbazia valsusina) e quanto rimane del battistero romanico dedicato a San Pietro. Qui un grosso masso coppellato testimonia una frequentazione e una probabile sacralizzazione del luogo risalente molto indietro nel tempo.

Il castellazzo di Condove

● I RUDERI DEL «CASTELLO DEL CONTE VERDE»

Dove: via Conte Verde, 42, Condove (TO).
Accessibilità: l'area archeologica è visitabile in occasione di vari eventi annuali, come per esempio le Giornate Europee del Patrimonio; le informazioni sono di solito reperibili presso il sito o gli uffici del Comune di Condove. Provenendo da Torino per la ex strada statale 24, superato il paese di Caprie si svolta a destra in via Conte Verde e, dopo poche decine di metri, si posteggia imboccando un viottolo sterrato che dà accesso al castello (bacheca informativa). *www.comune.condove.to.it/ComSchedaTem.asp?Id=2375.*

Poco prima di Condove, arrivando dalla pianura, c'è un dosso roccioso e, in cima a quello, i suggestivi ruderi di un antico castello. Molti hanno fantasticato sulla sua storia, tanto che il nome con cui spesso viene ricordato è quello di «castello del Conte Verde», nonostante non esista alcuna prova che Amedeo VI di Savoia, il sovrano che riuscì ad annettere agli stati sabaudi Cuneo e Biella, vi abbia mai messo piede o che ne abbia almeno ordinato la costruzione o qualche significativo ampliamento. Altrettanto incerta anche se piuttosto verosimile è l'ipotesi secondo la quale l'edificio avrebbe fatto parte delle chiuse longobarde, strutture difensive realizzate ben prima del Mille per sbarrare ai Franchi l'ingresso in Italia. La costruzione del castello deve però essere stata anteriore al 1287, anno in cui viene citato come dipendenza dell'abbazia di San Giusto di Susa, che controllava una vasta porzione del Piemonte occidentale. Nei documenti la fortificazione è definita *castrum Capriarum*, legata quindi all'attuale abitato di Caprie e non a quello di Condove, al cui Comune oggi appartiene.

Il complesso, oltre alla cinta muraria e alla torre, che sfruttavano la posizione rilevata rispetto al fondovalle, comprendeva anche la residenza del castellano e gli edifici necessari alla vita della piccola guarnigione come stalle, magazzini e granai. L'esistenza di una castellania implicava inoltre che l'edificio fosse adibito a varie funzioni pubbliche, tra le quali quella di tribunale, di carcere e di centro per la riscossione dei tributi dovuti all'abbazia. Come molti altri castelli medievali della zona perse importanza a partire dal Cinquecento, a causa

La sacra di San Michele, sul lato opposto della valle, e il complesso fortificato visto da ovest. A sinistra, la chiesa e il castello in controluce.

dell'introduzione delle armi da fuoco e del consolidarsi dei domini sabaudi, la cui difesa fu affidata a opere più moderne e più prossime ai confini del ducato, come il forte della Brunetta presso Susa.
All'interno della cinta muraria, nel Seicento, venne costruita una chiesetta intitolata all'Assunta, mentre le vecchie strutture medievali come il massiccio torrione a pianta rettangolare sul lato meridionale del complesso subivano poco per volta danni e crolli progressivi. Forse anche per questa progressiva rovina, fu chiamato «castellazzo» ed è rappresentato in alcune stampe ottocentesche e nelle prime lastre fotografiche della zona già allo stato di rudere.

Come ogni castello che si rispetti anche questo ha i suoi fantasmi. Si racconta infatti che la sposa del Conte Verde s'innamorò, ricambiata, di un cavaliere della corte. Scoperta la tresca, il marito fece rinchiudere i fedifraghi nella torre e ve li lasciò morire. I fantasmi dei due sciagurati si aggirerebbero ancora sul colle e tra le rovine del castello. Più o meno al centro della cinta muraria si trova un grosso masso tondeggiante di granito, levigato dall'azione del ghiacciaio valsusino. In pieno clima di *revival* medievale vi fu apposta una scritta che attesta, con una certa dose di fantasia, come sulla collina «Carlo Magno re dei Franchi sostò coi suoi condottieri nel 773 d.C. dopo la battaglia delle chiuse d'Italia, che pose fine al secolare regno dei Longobardi e segnò l'inizio del Sacro Romano Impero».
Il masso fu apprezzato (oltre che dai nostalgici del Medioevo) anche da rocciatori e «sassisti» e, in particolare, da Giancarlo Grassi. La sua superficie levigata mise alla prova le dita degli arrampicatori, alcuni dei quali tentarono anche di usare – pare senza grande successo – le lettere dell'incisione di cui sopra come minuscoli appigli. A partire

La chiesa dell'Assunta e il bastione occidentale.
In basso, il grande masso al centro dell'area fortificata.

dal 2006 il castello è stato oggetto di accurati studi archeologici e poi di lavori di restauro conservativo. Dalle indagini non sono emerse tracce di frequentazioni del sito anteriori al Medioevo e anche i reperti relativi all'occupazione medievale (come ceramiche, armi e oggetti) sono risultati molto limitati. Il castello è stato poi messo in sicurezza, così che oggi lo si può visitare senza pericolo. Da qualche anno vi si svolgono inoltre vari eventi musicali o teatrali e visite guidate da volontari del posto.

Per saperne di più: Provincia di Torino, *I geositi nel paesaggio alpino della provincia di Torino*, litografia Geda, Nichelino 2004.

Il cimitero monumentale di Oropa

● ARTE E NATURA PER RICORDARE I GRANDI DEL BIELLESE

Dove: strada del cimitero di Oropa, Oropa, Biella (BI).
Accessibilità: libera. *www.santuariodioropa.it/db/it/storia-e-cultura/cimitero-monumentale.*

Vista dall'alto. A destra, l'originario camposanto semicircolare.
In basso, la tomba di Quintino Sella.

Il santuario di Oropa, dove si venera l'antica statua di una Madonna Nera, è forse il più grande luogo di culto di tutta la catena alpina. Come vari importanti complessi religiosi anch'esso, in passato, aveva dedicato alcune specifiche aree alla sepoltura dei morti. In origine si trattava della stessa basilica antica, il cui pavimento conserva ancora oggi numerose lapidi d'illustri defunti della zona. Con l'esaurirsi del poco spazio disponibile e una maggior attenzione verso le buone pratiche d'igiene questa sistemazione diventò però inadeguata, così che nel 1830 fu costruito un cimitero sotterraneo al di sotto del primo piazzale del santuario. Anche questo però si rivelò presto insoddisfacente, sia per le dimensioni limitate sia per la scomodità di accesso. Venne quindi individuata un'area per l'edificazione di un camposanto esterno, collocato a poche centinaia di metri dal santuario. Il cimitero, progettato dall'ingegner Ernesto Camusso, fu inaugurato nel 1877. Consistente all'inizio in un semplice campo aperto con un porticato semicircolare che lo delimitava verso monte, fu poi ampliato nel 1888, nel 1934 e nel 1967. Nel bosco di faggi che sovrasta il porticato, nel frattempo, alcune delle famiglie più note del Biellese costruirono varie cappelle funerarie. Il terreno è in forte pendenza e conserva ancora molti degli alberi presenti in

origine, che con il passare del tempo sono diventati di grandi dimensioni. Il complesso offre un colpo d'occhio molto suggestivo e riesce a fondere in modo armonioso le caratteristiche naturali e topografiche con l'opera e la storia dell'uomo. Gli anni a cavallo tra Ottocento e Novecento, nei quali si ebbe il maggior sviluppo del camposanto, coincisero con una forte sensibilità per l'arte funeraria, riscontrabile in molti paesi europei. Molti tra gli scultori più in voga di quel periodo si cimentavano volentieri nella realizzazione di monumenti funebri, scegliendo spesso soggetti dalla forte valenza simbolica. Tra le cappelle del cimitero una delle più curiose è senza dubbio quella dove riposano le spoglie di Quintino Sella, grande politico, scienziato e alpinista. La sua tomba fu realizzata nel 1884 in forma di piramide su progetto dell'ingegnere Carlo Maggia. Il monumento, oltre al gusto per l'esotico e per la storia antica, evidenzia le simpatie massoniche del defunto.

Il «cimitero Bosco»; in basso, «Per mortem ad vitam»: tomba della famiglia Gallo (Gino Piccioni, 1992). A destra, tomba di Costantino Crosa.

Tra gli ospiti del cimitero possono essere ricordati tre vescovi di Biella. Giovanni Pietro Losana è il più illustre tra loro e resse la diocesi biellese tra il 1834 e il 1873, facendosi ricordare anche come un deciso oppositore del dogma dell'infallibilità papale. Oltre che da prelati e da alte cariche dello Stato la committenza locale era anche caratterizzata da una numerosa rappresentanza d'imprenditori. Per la realizzazione dei monumenti funebri veni-

vano spesso ingaggiati artisti di statura europea, come per esempio Leonardo Bistofi (tombe delle famiglie Canepa e Serralunga), Edoardo Rubino (cappella Maggia), Odoardo Tabacchi (tomba di Aristide Ramella) o Cesare Biscarra (edicola dedicata a Eugenio Bona). Un imprenditore a suo tempo molto noto sepolto al cimitero di Oropa è Riccardo Gualino, fondatore di diverse aziende tra le quali la SNIA-Viscosa e forse ancora più importante come antifascista e mecenate. La sua tomba fu progettata da Pietro Canonica nel 1922. Riposa a Oropa anche Giorgio Aiazzone, un mobiliere notissimo negli ultimi anni Ottanta per le televendite; la sua cappella funebre è stata realizzata in forme piuttosto sobrie nel 1986 su progetto di Giulio Carpano. Oltre alle cappelle disperse nella faggeta, che formano il cosiddetto «cimitero bosco», sono anche molto interessanti le tombe e le epigrafi del campo aperto e del porticato. Si va da quella del capitano Costantino Crosa, medaglia d'oro al valor militare che morì combattendo sul Piave nel 1918, alla lapide di Giuseppe Antonio Pugno di Sordevolo che, nella lontana Birmania, «Degnamente tenne il nome italiano in quello Stato, meritandosi dal re onore stima affetto». Non tutti i defunti ebbero purtroppo la possibilità di realizzare i propri progetti e ideali, perché in alcuni casi la loro vita fu stroncata prima del tempo, come quella della giovane Maria Ramma, «Ingegno pronto e affettuoso la cui vita, nella bella e vigorosa pienezza dei suoi diciott'anni, veniva disgraziatamente troncata precipitando dai fianchi misteriosi del Mucrone».

Per chi è interessato a una visita approfondita a questo luogo così affascinante e ricco di storia l'amministrazione del complesso di Oropa ha realizzato una guida rigorosa e piuttosto esaustiva, scaricabile in forma gratuita dal sito del santuario oppure acquistabile in forma cartacea al bookshop del santuario.

La Trappa di Sordevolo

● MONACI E TESSITORI TRA I MONTI DELLA VALLE ELVO

Dove: località Trappa, presso la SP 512 «il Tracciolino», Sordevolo (BI).
Accessibilità: la Trappa è aperta dalle 10 alle 18 nei giorni festivi dei mesi tra aprile e ottobre, negli altri giorni è possibile organizzare visite su prenotazione, cell. 349 3269048, coordinatore@ecomuseo.it, per la ristorazione cell. 348 2703135. Dall'esterno, invece, il complesso è sempre visitabile. Si può arrivare alla Trappa dal santuario di Oropa, percorrendo la SP 512 («il Tracciolino») posteggiando a circa 8 chilometri dal santuario e scendendo a piedi per una pista sterrata (dieci minuti di cammino), oppure salendo in un'oretta per sentiero dalla località Prera nel Comune di Sordevolo. *www.ecomuseo.it/cellule/indextrappa.htm.*

La Trappa e la prima neve sulle Alpi Biellesi.
A destra, in alto, la Trappa vista dall'alto e, in basso, vecchi graffiti e scritte edificanti.

In alta valle Elvo, a più di mille metri di quota, sorge un massiccio edificio di cinque piani con una storia molto particolare, la Trappa di Sordevolo. Le vicende del fabbricato, che in passato gli hanno creato attorno un certo alone di mistero, iniziarono a metà Settecento quando Gregorio Ambrosetti, un imprenditore laniero di Sordevolo, chiese al vescovo di Vercelli di poter costruire in località Vanej una cappella con annesso un edificio residenziale. Ambrosetti spiegava che desiderava compiere tale opera in segno di ringraziamento per la salvezza delle sue greggi di pecore dalla moria di ovini che aveva interessato la vallata. La costruzione della chiesetta avrebbe inoltre offerto la possibilità ai pastori che frequentavano la zona di andare a messa. Il consiglio comunale di Sordevolo osteggiava il progetto, nella convinzione che l'Ambrosetti avesse in realtà intenzione di fare insediare sui propri terreni l'ordine monastico dei Passioni-

sti, cosa che avrebbe potuto pesare sull'economia locale consumando risorse preziose come legname e foraggi. Temevano inoltre che la presenza dei monaci avrebbe fatto diminuire le elemosine con le quali la popolazione del paese sosteneva la chiesa locale. Forse anche per vincere l'opposizione del Comune l'Ambrosetti, a lavori già iniziati, cambiò la destinazione d'uso dell'edificio e lo convertì in un opificio tessile. Lo stabilimento fu completato e nel 1778 occupava una ventina di operai. L'imprenditore ottenne in seguito anche l'autorizzazione per dotare il complesso di una cappella a uso delle proprie maestranze. Dopo la sua morte, avvenuta nel 1786, l'edificio venne abbandonato: vista la quota, l'isolamento e la distanza dal torrente Elvo, che scorre molto più in basso, come lanificio anche nel suo periodo migliore non doveva essere granché produttivo. Nel 1796 venne utilizzato come rifugio da un gruppo di frati Trappisti che erano fuggiti dalla Normandia in seguito alla Rivoluzione francese e alla soppressione del loro ordine monastico. Gli abitanti e le istituzioni della zona accolsero però con ostilità i monaci, ai quali non vennero ceduti diritti per l'utilizzo dei pascoli né fatte altre concessioni che ne facilitassero

Il recupero delle coperture in pietra dell'edificio.
A destra, particolari costruttivi della Trappa.

la permanenza. I religiosi abbandonarono così la struttura nel 1802, dopo soli sei anni di presenza in quella che però, da allora in poi, fu definita «la Trappa».

La famiglia Ambrosetti tornò ad avere la disponibilità dell'edificio e lo destinò fino alla metà degli anni Settanta del Novecento a ricovero per animali e abitazione per margari, benché molto sovradimensionato rispetto alle analoghe strutture presenti in valle. Con l'estinzione della famiglia Ambrosetti la proprietà passò all'istituto omonimo, un ente che gestiva la scuola materna di Sordevolo. Verso la fine del secolo scorso cominciarono a prendere corpo i progetti per il recupero e la valorizzazione della Trappa e nel 1998, per gestirla, fu costituita l'associazione della Trappa. Cominciarono così i lavori per il restauro e la messa in sicurezza dell'edificio, molti dei quali effettuati nel corso di campi di lavoro estivi con la collaborazione di varie associazioni, alcune delle quali, come il Servizio Civile Internazionale, coinvolsero volontari di tutto il mondo. Raggiunto un sufficiente grado di fruibilità la Trappa è stata aperta al pubblico sia come bene museale sia come sede di vari eventi e momenti di formazione. Il complesso comprende una foresteria con una ventina di posti letto e una scuderia attrezzata per ospitare fino a dieci fra cavalli, asini e muli, che può servire da supporto per escursioni someggiate. La Trappa è al centro di una vasta rete di sentieri segnalati che la collegano, oltre che con Sordevolo, anche con vari altri centri d'interesse e rifugi della zona; inoltre costituisce l'ecomuseo della Tradizione Costruttiva, inserito nella rete ecomuseale biellese.

Il lavatoio di Malesco

● GIOVAN MARIA SALATI, CHE PER PRIMO ATTRAVERSÒ LA MANICA A NUOTO

Dove: via Guglielmo Marconi, Malesco (VB).
Accessibilità: libera. Il lavatoio si trova nel centro del paese, a fianco della chiesa parrocchiale.

Al numero civico 17 di via Eria, a Malesco, due lapidi sulla facciata di casa Mellerio, una apposta dal CONI, l'altra dal Comune, ricordano un singolare personaggio sconosciuto ai più ma autore di una prodezza eccezionale: Giovan Maria Salati, volontario nell'esercito napoleonico. Le lapidi non sono dovute a meriti militari bensì «sportivi». A quanto risulta Salati, nell'agosto del 1817, fu il primo uomo ad attraversare a nuoto il canale della Manica, superando i 34 chilometri che separano Dover da Calais. Per saperne di più bisogna spostarsi di qualche decina di metri e raggiungere l'antico lavatoio. Questo si trova dietro l'oratorio di San Bernardino, in piazza della Chiesa, all'interno di un sobrio edificio coperto di *piode*, le lastre di pietra con cui sono realizzati in questa zona la maggior parte dei tetti. La sua costruzione è coeva all'acquedotto, inaugurato nel 1895. Vi si trovano otto grandi vasche di granito, ordinate in due serie, profonde 40 centimetri e con una capacità di 444 litri d'acqua l'una. Le vasche permettevano di fare il bucato insieme persino a 24 lavandaie, in tempi in cui le lavatrici erano di là da venire. Tale capienza lo rendeva un prezioso luogo d'incontro, essendo oltretutto riparato dalle intemperie. Con il mutare dei tempi, com'è ovvio, l'utilizzo del lavatoio è andato rarefacendosi, senza però che i maleschini lo dimenticassero del tutto. Nel 2002, grazie anche all'ecomuseo, il lavatoio è stato del tutto restaurato e nel 2007 è diventato sede della mostra tematica permanente dedicata alla vita e all'impresa di Salati. Giovan Maria nacque a Malesco nel 1796 ma emigrò giovanissimo in Francia in cerca di migliori condizioni di vita rispetto a quelle che le sue montagne potevano offrirgli. Poi, come molti giovani del suo tempo, si arruolò nelle armate napoleoniche. Non era certo uomo di mare, ma aveva imparato a nuotare benissimo, essendo la sua passione quella di sguazzare

A sinistra, il ritratto di Giovan Maria Salati.
In alto, le vasche del lavatoio con i pannelli della mostra dedicata a Salati.

nelle buche del torrente Melezzo, il corso d'acqua che attraversa la val Cannobina per poi scendere ripido verso il lago Maggiore. Fuciliere di marina, combatté a Waterloo; là fu ferito e catturato dagli inglesi. Le prigioni, per molti degli ex soldati francesi, erano state ricavate ripristinando alla meglio navi fuori uso, ancorate a qualche distanza dalla costa per motivi di sicurezza. Non resistendo al carcere, il Salati escogitò la sua rocambolesca fuga fidando nelle proprie capacità natatorie. Procuratosi una certa quantità di sego (il grasso usato per le candele) per resistere alle fredde acque oceaniche, una notte di agosto si tuffò in mare e iniziò la sua traversata. Non fu certo semplice, oltre che per le difficoltà insite nell'impresa, anche per il pericolo d'imbattersi, come in effetti accadde, nei vascelli inglesi che pattugliavano la costa. Dopo circa 33 ore, sfinito e privo di sensi, toccò le coste del continente.

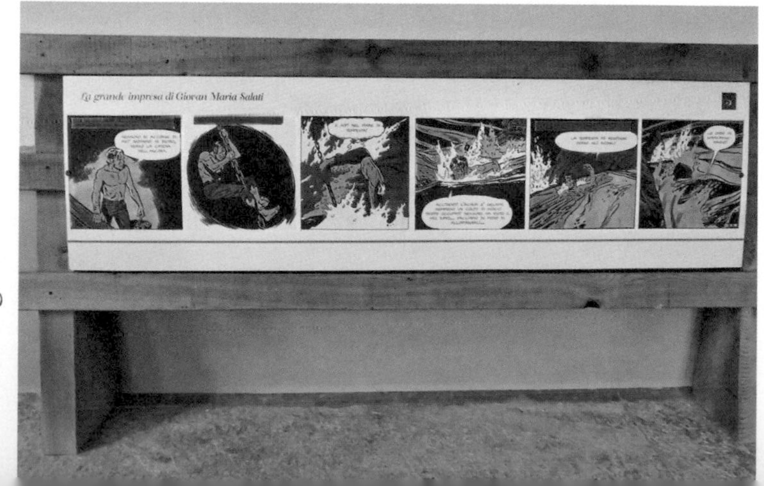

Il monumento dedicato al basilisco, animale leggendario che si aggirerebbe nei boschi di Malesco. A sinistra, il lavatoio d'inizio Novecento e alcune tavole del fumetto belga che racconta le vicende di Salati.

Fu quindi il primo a compiere un'impresa che desta stupore anche oggi che il nuoto di altura è diventato disciplina olimpica. Se poi si considerano le condizioni e i mezzi dell'epoca (non aveva un motoscafo al seguito) la cosa appare quasi incredibile. In Francia Salati fu dapprima spazzacamino (mestiere in cui i vigezzini si erano specializzati), poi fuochista e infine titolare di una piccola impresa. Si sposò ed ebbe dei figli, tra i quali uno fu sacerdote, che Giovan Maria seguì negli anni della vecchiaia nelle varie parrocchie sino a Saint-Brice-sous-Forêt, il villaggio dove morì nel 1879.
Nel lavatoio vigezzino sono stati collocati, oltre ad alcuni pannelli che raccontano le vicende del Salati, anche le grandi riproduzioni di un noto fumetto belga che gli dedicò un'intera avventura. A due passi dal lavatoio si può anche vedere il monumento dedicato al basilisco, il mitico animale che qualcuno dice di aver visto nei boschi della valle.

Per saperne di più: Benito Mazzi, *Giovan Maria Salati. Una beffa che fruttò il primato*, Grossi, Domodossola 1989.

MUSEI

• La collezione Ferrero a Pomaretto • *Sòn de Lenga* alle caserme di Dronero
• Il paese dei *babaciu* • Il museo di Scienze Naturali di Guardabosone
• Il museo etnografico di Rabernardo • Le fisarmoniche di Robilante
• Campomolino • Il museo del Costume di Chianale

La collezione Ferrero a Pomaretto

● NELLA SCUOLA LATINA LA VAL SAN MARTIN NEI MODELLINI DI CARLO ED ENRICHETTA FERRERO

Dove: via Balziglia, 103, Pomaretto (TO).
Accessibilità: visite guidate alla collezione Ferrero di Pomaretto in domeniche estive stabilite, accessibile liberamente in settimana e nei week-end. Gruppi organizzati solo su prenotazione. Per informazioni, tel 0121 950203.

Ospitata in un'ampia sala a pianterreno della scuola Latina di Pomaretto, la collezione Ferrero, con le sue miniature, offre al visitatore un interessante quadro del mondo rurale dell'alta valle Germanasca, la val San Martin, nei primi decenni del secolo scorso: il mondo di cui Carlo Ferrero e sua moglie Enrichetta facevano parte e che hanno voluto consegnarci nel loro ricordo. Si tratta di 158 modellini che riproducono in scala ridotta, ma con estrema precisione, soprattutto le persone intente al lavoro con i relativi

La scuola latina di Pomaretto e alcuni del modellini di Carlo Ferrero.

Il modellino della scuola; in basso, l'inizio del sentiero del Ramíe.
A destra, vigneti della montagna di Pomaretto.

attrezzi. Realizzati dalla coppia tra il 1980 e il 1984 in legno di bosso riproducono con precisione filologica persone impegnate in occupazioni agricole o artigianali. La collezione, esposta in un primo tempo in casa Ferrero, venne affidata al Centro Culturale Valdese di Torre Pellice nel 1994, e trovò una prima sistemazione nei locali dell'ex convitto valdese. Problemi di agibilità e di sicurezza resero però necessaria la ricerca di una sede più idonea. La soluzione fu trovata inserendo la collezione nel progetto di recupero della scuola Latina.
I modellini sono raggruppati in teche e disposti secondo specifiche tematiche; illustrano le diverse attività in campo agricolo (del campo, del prato, del bestiame, della vite e del vino), artigianale (il falegname, il fabbro) e casalingo (la cucina, il bucato, l'orto). Particolare attenzione è data al lavoro in miniera, che ha rappresentato per decenni un'attività fondamentale nell'economia della valle.
I modelli rievocano però anche aspetti della vita sociale, come il culto domenicale o le assemblee delle società di mutuo soccorso.

In alcuni plastici Ferrero ha ricostruito luoghi e fatti particolari, come la borgata di Poumarat, dov'era nato, o la grande funicolare aperta nel 1893 a servizio delle miniere dove aveva lavorato. All'ingresso della sala una piccola sezione è dedicata alla figura dell'autore delle miniature, Carlo Ferrero, mentre a conclusione del percorso espositivo un'opera ispirata ad alcuni versetti biblici e denominata *Il mondo della pace* raffigura una serie di animali, compagni inseparabili ed essenziali in quel tipo di vita dove non esisteva il superfluo. Per completare la visita uno spazio multimediale consente di approfondire le tematiche trattate.

A spingere Carlo ed Enrichetta Ferrero a questo straordinario impegno fu la volontà di salvaguardare la memoria di quella società alpina di cui erano figli, ormai avviata a scomparire. La scuola Latina è un centro di cultura locale, inaugurato nel 2006 e gestito dall'associazione Amici della Scuola Latina, che si occupa in prevalenza di cultura materiale (mestieri tradizionali, vita quotidiana) e lingue minoritarie locali (occitano, francese) con l'obiettivo di conservare la memoria della vita in montagna (insediamenti e attività degli abitanti, utilizzazione del territorio, relazioni sociali e istituzionali, linguaggio e comunicazione, storia e cultura ecc.) e di offrire stimoli di riflessione sui legami tra passato, presente e futuro, basati sullo studio, la ricerca e l'approfondimento della cultura locale. La scuola Latina fa parte dell'ecomuseo delle Miniere e della Val Germanasca e del sistema museale delle valli valdesi. Di fronte al suo ingresso inizia una bella mulattiera segnalata «sentiero del Ramìe» che conduce tra le vigne di Pomaretto, dove pochi eroici coltivatori continuano a mantenere in vita una secolare tradizione vitivinicola e a produrre un raro e apprezzabile vino di montagna, il Ramìe. Una buona occasione per fare quattro passi e magari per assaggiarne un bicchiere.

Per saperne di più: *Li velh travalh en Val San Martin. Lavori tradizionali in Val Germanasca. Il libro dei modellini di Carlo Ferrero*, La Cantarana, Pinerolo 1984.

Sòn de Lenga alle caserme di Dronero

● IL MUSEO OCCITANO E L'ISTITUTO DI STUDI OCCITANI A DRONERO

Dove: via Val Maira, 19, Dronero (CN).
Accessibilità: il museo è aperto nei mesi estivi la domenica pomeriggio (ingresso a pagamento). Per gruppi di almeno 15 persone apre anche in altri periodi, previa prenotazione, segreteria@espaci-occitan.org, *www.espaci-occitan.org*.

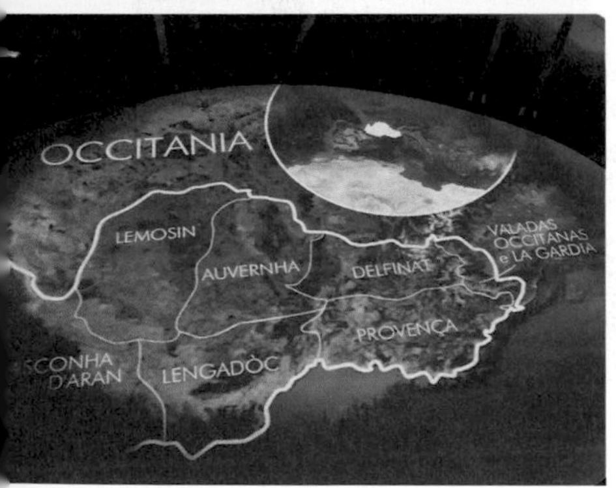

L'occitano è una delle lingue minoritarie riconosciute a livello europeo, propria di un vasto territorio comprendente il centro e il meridione della Francia, una dozzina di valli alpine al di qua dello spartiacque e l'alta valle della Garonna, la val d'Aran che, pur se situata sul versante settentrionale dei Pirenei, è da sempre parte integrante delle Stato spagnolo. La val d'Aran è dotata di uno statuto speciale ed è l'unico luogo dove l'occitano, nella sua variante guascone, è lingua ufficiale e viene utilizzato anche a livello amministrativo. *Patois* si diceva un tempo, poi negli anni Sessanta del secolo scorso ci si accorse che quegli «strani» gerghi delle genti di montagna del Piemonte centromeridionale erano espressioni di una lingua che nel Medioevo ebbe grande rilevanza e una nobile letteratura. L'ampio territorio dell'Occitania, pur non condividendo destini nazionali comuni, mostra ancora evidenti tratti identitari. L'Espaci Occitan è un'associazione di enti pubblici del territorio occitano alpino con sede a Dronero e ha per obiettivo la promozione linguistica, culturale e turistica delle valli occitane. Attraverso l'Istituto di Studi Occitani, il museo Sòn de Lenga, lo sportello linguistico e la Bottega Occitana si propone in Italia come primo polo culturale sinergico dedicato al mondo occitano. L'associazione è nata nel 1999 anche per favorire la collaborazione a livello progettuale e istituzionale fra i Comuni e le Comunità Montane

La riproduzione di un antico testo in occitano.
A sinistra, l'accesso al museo con la bandiera occitana e la mappa interattiva della prima sala.

(ora Unioni di Comuni). Si propone inoltre come uno spazio aperto a tutti, in particolare agli studenti delle scuole primarie, medie e superiori, cui permette un approccio divertente e dinamico alla cultura occitana. L'istituto offre però anche testi e opere per le ricerche degli studenti universitari e ai visitatori appassionati permette di compiere un viaggio virtuale nel suo museo. L'Espaci Occitan si pone come compito statutario quello di promuovere l'identità culturale della popolazione delle valli occitane in Italia e quindi di concorrere all'attuazione delle disposizioni previste dalla legge 482/99. Tutto ciò

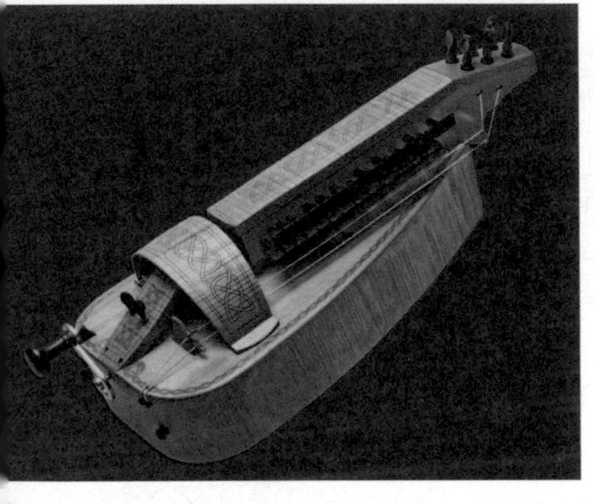

Dall'alto in basso: artigianato occitano; la ghironda, *la viulo*, strumento tradizionale dei musicisti itineranti, e una postazione interattiva e multimediale del museo.

passa attraverso il recupero e la riappropriazione della lingua occitana, la valorizzazione delle produzioni locali e delle risorse turistiche e ambientali e l'attività di promozione e di comunicazione. Se biblioteca, emeroteca, musicoteca, laboratorio e sportello linguistico fanno parte dell'Istituto, il museo Sòn de Lenga si pone come logico complemento di quelle attività permettendo di «toccare con mano» (ma sarebbe meglio dire «con orecchio») la lingua e la cultura occitane.

Un museo moderno e interattivo, dotato di postazioni multimediali quadrilingui (occitano, italiano, francese, inglese) a cui si aggiungono pannelli e immagini esplicative ed esposizioni etnografiche che illustrano alcuni degli aspetti più significativi ma anche più desueti di questo patrimonio culturale.

Foto di gruppo di musicisti con gli strumenti della musica tradizionale delle valli.
In basso, i nastri, elemento fondamentale del costume tradizionale nei giorni di festa.

S'inizia la visita con un'ampia carrellata geografica sul territorio occitano (non solo sulle valli italiane ma anche su tutte le sette regioni occitane per tradizione: Limosino, Alvernia, Guascogna, Guiana, Linguadoca, Provenza e Delfinato). Si continua poi con la storia, con il confronto tra le minoranze linguistiche e si arriva al suono della lingua, con la musica e le danze tradizionali presentate tramite gli strumenti e gli esecutori più rappresentativi. Poi c'è la parte dedicata alla poesia, dove si possono ascoltare dalla voce di alcuni poeti le loro stesse composizioni nelle varianti dialettali locali.

La visita, a seconda dell'interesse individuale, può durare da pochi minuti a un intero pomeriggio, e se poi ci si appassiona può essere personalizzata soffermandosi ad approfondire gli aspetti che ciascuno giudica di maggior valore. Il museo si trova in quella che era un'ex caserma e che è ora utilizzata per molteplici attività (vi ha sede anche l'istituto alberghiero). Si può accedere al parcheggio interno dall'ingresso, in via degli Acciugai.

Il paese dei *babaciu*

● L'ECOMUSEO TERRA DEL CASTELMAGNO

Dove: ecomuseo Terra del Castelmagno, frazione San Pietro, Monterosso Grana (CN).
Accessibilità: lunedì-venerdì 8.30-12.30; sabato e domenica aperto secondo la disponibilità dei volontari, cell. 329 4286890, ecomuseo@terradelcastelmagno.it; per informazioni più dettagliate sui *babaciu* contattare Claudio, ecomuseo@terradelcastelmagno.it; *www.terradelcastelmagno.it*.

Il Castelmagno, uno dei formaggi più famosi d'Italia nonché uno dei più rari, dalla primavera del 2016 ha il suo museo. Un museo atipico, che coniuga tecnologie sofisticate e moderne tecniche di ripresa con capacità tradizionali. Il progetto è stato attuato dall'associazione La Cevitou (la Civetta) con la collaborazione tecnica della cooperativa Kalatà e affronta tematiche legate al territorio, alla sua tradizione e alla memoria storica della comu-

nità che lo abita. L'allestimento, tra moderna multimedialità e ambientazioni *d'antan*, conduce i visitatori in atmosfere che rievocano le antiche veglie serali con rimandi ai temi della festa, del lavoro, dell'emigrazione e dei sistemi rituali e terapeutici tramandati di generazione in generazione. Centrale, nel racconto, è il Castelmagno,

Frugale cena della nostra fotografa Claudia in compagnia dei pupazzi.
A sinistra, *babaciu* che animano la borgata.

prodotto dalla storia leggendaria e simbolo di una valle che ha saputo portare la propria eccellenza sulla scena internazionale: uno sguardo al territorio con i suoi pascoli, le fasi del ciclo produttivo, la sua diffusione nel mondo. Il museo è inoltre il momento con-

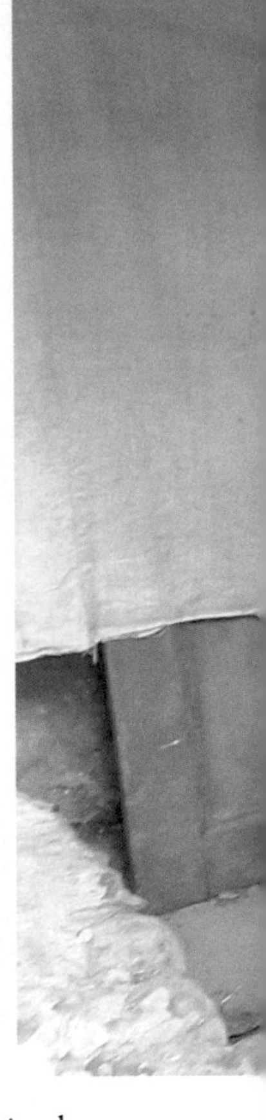

clusivo di un percorso studiato per conoscere i *babaciu* che passa da San Pietro, un piccolo borgo della laterale valle Verde, che nella sua parte alta è più conosciuta come Coumboscuro. I *babaciu*, in lingua occitana e in piemontese, sono i pupazzi. Quelli di San Pietro sono a grandezza quasi naturale; realizzati in legno e paglia, sono vestiti con gli abiti della gente di montagna. Pupazzi laboriosi di un paese senza tempo impegnati nei loro mestieri, nelle faccende domestiche oppure a gustarsi un bicchiere di vino a fine giornata.

Silenziosi, o almeno in apparenza, perché se ci si ferma a osservarli con attenzione raccontano storie, occupazioni, vite passate, forse nemmeno troppo diverse dalle vite di chi, ancora oggi, in montagna decide di fermarsi, di vivere e di lavorare. I *babaciu* sono nati da un'idea di Graziella Menardo nel 2003 e nel

Una casa del «paese senza tempo» e una partita all'osteria.

corso degli anni hanno pian piano ricolonizzato tutta la frazione San Pietro, nel Comune di Monterosso Grana, e oggi occupano portici, balconi, stalle e ogni altro spazio che possa accoglierli e offrire loro un riparo dalle intemperie. Il paese senza tempo ha così visto crescere la propria popolazione. E chi pensa che siano sempre fermi nello stesso posto farebbe meglio a tornare più volte nell'arco dell'anno per controllare di persona; potrebbe scoprire che sono davvero vivi…
A due passi dal museo la birreria Na bela Grana offre un ricco assortimento di birre italiane e la possibilità di gustare a prezzo contenuto sia i famosi gnocchi al Castelmagno sia panini, piatti o snack che ricordano le antiche ricette della nonna (per i pasti è gradita la prenotazione al numero 333 8663675).

Il museo di Scienze Naturali di Guardabosone

● UN PAESE PER QUATTRO MUSEI

Dove: via Roma, 34, Guardabosone (VC).
Accessibilità: il museo e visitabile nei giorni festivi dalle 14 alle 18. In agosto tutti i giorni con lo stesso orario. Su richiesta e possibile compiere visite guidate (per scolaresche e comitive), è sufficiente prenotare telefonando allo 015 761116, info@museostorianaturale.org; *www.museostorianaturale.org*.

In cima a una collina in bilico tra la valle Sesia e quella dello Strona di Postua, Guardabosone è uno di quei paesi in cui bisogna andare apposta e che si rischia di non vedere mai. Ma una volta lasciato il fondovalle ecco quello che non ti aspetti: un paese di altri tempi, dove dimenticare la frenesia. Poco più di trecento abitanti in tutto, che sul finire di agosto, una volta all'anno, organizzano esclusive tavolate conviviali nei cortili dei vecchi quartieri. Al chiaro di luna, perché per l'occasione l'illuminazione pubblica viene spenta e sostituita da fiabeschi lumini e lanterne. Per gli ospiti che vengono da fuori ci sono invece musica e punti di ristoro.

Un itinerario di visita segnalato che si snoda in strette viuzze, tra passaggi coperti, edifici religiosi e sentieri che si perdono nei boschi, porta a scoprire i quattro musei e l'orto botanico. Se oggi la strada che sale a Guardabosone termina sulla piazza, proprio di fronte al ristorante, un tempo invece transitava dal paese quella che era un'importante via di collegamento tra il ducato di Savoia e quello di Milano. Del paese medievale rimangono qualche cortile fortificato e i vicoli. Via Roma e via Garibaldi, tutto ruota attorno a queste due strade centrali. E quasi al fondo della via dedicata al condottiero nizzardo c'è l'unico esercizio commerciale del paese, dove si può acquistare la mappa dei sentieri e il rinomato amaro digestivo prodotto da due erboristi originari di qui, ottenuto macerando ben 23 erbe. Si può imparare a conoscere molte di queste specie vegetali nel giardino che si trova all'inizio del paese, proprio sopra la chiesa seicentesca della Madonna del Carretto. Il santuario è del 1669 e si trova nei pressi di un'antica strada carraia di cui si possono ancora vedere alcuni tratti scendendo verso il fondovalle. Da questa via è plausibile che Carlo

Borromeo passasse, nella seconda metà del Cinquecento, sia per il suo ministero sia per faccende private, essendo imparentato con la nobile famiglia Ferrero di Biella.

Il museo di Storia Naturale si trova defilato, quasi in cima al paese. È il frutto di cinquant'anni di ricerca e studio da parte del cavalier Carlo Locca, suo ideatore, creatore e mentore, un tempo apicoltore (ora in pensione) ma appassionato già da ragazzo di storia naturale, etnografia e tradizioni del passato. Pensato come strumento didattico e formativo, grazie al suo ottimo livello, rappresenta un buon punto di riferimento per chi voglia iniziare ad avvicinarsi al mondo scientifico. Si articola nelle sezioni di mineralogia, paleontologia (con una raccolta di fossili che vanno dall'era primaria alla quaternaria), civiltà antiche, zoologia mondiale (la collezione tassidermica conta oltre 3000 animali: pesci, mammiferi, uccelli, rettili). Molti reperti sono rari o di alto valore scientifico, tanto da poter reggere la concorrenza con musei più titolati. Due miliardi e mezzo di anni di storia della vita sono qui documentati, a iniziare dalle stromatoliti boliviane, che conservano le tracce della nascita della vita sulla Terra.

A sinistra, nei pressi del museo naturalistico del cavalier Carlo Locca.
In alto, un caratteristico scorcio di Guardabosone, in basso, un pesce fossile al museo.

A poca distanza si trova la casa dei Mestieri, anche questa realizzata da Carlo Locca. Si tratta di un antico edificio con loggiato, nelle cui diverse sale sono esposti attrezzi e utensili un tempo utilizzati nell'attività quotidiana dagli artigiani locali: il lattoniere, il fabbro, l'arrotino, il ciabattino, il falegname. Al terzo piano, poi, oltre a un infinità di libri, ecco la straordinaria collezione entomologica di Carlo Locca. Unica nel suo genere conta oltre 300.000 invertebrati e ogni esemplare raccolto è stato studiato e catalogato con cura. La visita continua in un paio di antiche cantine, dove il tempo si è fermato. Una è dedicata al ciclo del vino, nell'altra c'è una raccolta (forse la più completa) di ceramiche e terrecotte «bielline», le tipiche terraglie di questa parte di Piemonte. L'unico rammarico da parte del curatore è quello di non essere riuscito a comporre un campionario dei fischietti di terracotta che tanta importanza socioculturale ebbero un tempo, in particolare nei riti di corteggiamento e matrimonio.

Il museo delle Tradizioni Agricole è la terza delle raccolte e lo troviamo più in basso. S'incentra sul ciclo della canapa e sulla produzione dell'olio di noci. La canapa un tempo era assai coltivata e utilizzata in Valsessera. La sala dedicata alla sua lavorazione prevede un percorso che parte dalla semina per continuare con la lavorazione della fibra grezza e concludersi con la tessitura. Sono esposti un buon numero di attrezzi utilizzati in passato, dal pettine per la cardatura alle rocche, ai fusi, ai filatoi fino a giungere ai telai a mano utilizzati per confezionare la pezza. Il percorso di lavorazione delle noci e della produzione dell'olio è documentato con dovizia di attrezzi originali, tra i quali un torchio del Settecento. La raccolta delle noci avveniva in settembre, per caduta naturale o con l'aiuto di apposite pertiche. Tolto il mallo, venivano stese nelle *lobbie* per l'essiccatura e girate più volte. La rottura delle noci costituiva quasi una festa. In quell'occasione le famiglie si riunivano a formare lunghe tavolate e, raccontandosi aneddoti oppure cantando, aprivano i gusci e selezionavano i gherigli. Questi poi venivano insaccati e portati alla *pesta* per la macinatura, che aveva luogo in una vasca di pietra con una grande ruota girata a mano. La pasta ottenuta era scaldata in pentoloni e pas-

A sinistra, una stromatolite boliviana vecchia almeno di due miliardi di anni, testimonianza dell'inizio della vita sulla Terra.
In alto, collezione di terrecotte «bielline» da Ronco; in basso, un telaio per filare la canapa.

sata al torchio, pure azionato a braccia. L'olio denso e profumato che ne usciva veniva portato a casa e conservato in recipienti di terracotta dai quali, in caso di necessità, veniva attinto con piccoli mestoli. Ancora adesso una volta all'anno, a ottobre, le «macchine» sono rimesse in funzione per produrre a scopo domestico il raro e prezioso olio. A pochi passi dalla chiesa, infine, si può accede al museo Parrocchiale, realizzato alcuni anni fa grazie all'attività e al sostegno di don Rigazio. All'esterno vi sono alcuni resti lapidei, tra cui un frammento proveniente dalla tomba del nobile spagnolo don Sancho de Luna, con lo stemma ancora leggibile. All'interno, tra i molti pezzi conservati, si notano le porte lignee della chiesa vecchia, intagliate con finezza, il meccanismo dell'orologio campanario, opere pittoriche, paramenti con ricche decorazioni e l'altare in legno che era utilizzato nella chiesa parrocchiale prima della ricostruzione settecentesca.

Per saperne di più: AA.VV., *Guardabosone. Ambiente e arte: connubio vincente* (pubblicazione a cura del FAI Valsesia).

Il museo etnografico di Rabernardo

● COME VIVEVANO I WALSER IN ALTA VAL VOGNA

Dove: frazione Rabernardo, Riva Valdobbia (VC).
Accessibilità: dal 1° al 23 agosto, con orario continuato dalle 10 alle 15 tutti i week-end di luglio. Per gruppi il museo è sempre visitabile su prenotazione. Le visite sono guidate, in italiano e in tedesco, contattare Roberta Locca, cell. 328 9292903, o Bruno Pelli, tel. +41 79 2124314. Il museo è situato a 1500 metri di quota ed è raggiungibile solo a piedi percorrendo un'antica mulattiera che parte dalla frazione Sant'Antonio (circa 15 minuti) oppure seguendo l'Alta Via dei Walser.

Riva Valdobbia, l'antica «Pietre Gemelle», ha nella laterale val Vogna una delle valli più belle e interessanti del Piemonte. Rimasta isolata dai flussi turistici (che si sa, a volte finiscono per rovinare tutto quello che toccano) e preclusa fino in anni recenti al traffico motorizzato (e in parte lo è ancora), tutta la val Vogna è uno straordinario museo all'aria aperta, con le sue antiche case rimaste immutate nel corso dei secoli nella loro rustica ed elegante architettura e, qua e là, le tracce di quelle attività agropastorali che la modernità ha spazzato via. Le case sono inserite con armonia nel loro contesto anche senza essere state edificate secondo rigide regole di pianificazione urbanistica, ma tenendo conto delle esigenze dei costruttori e delle caratteristiche morfologiche del territorio. Molte di esse risalgono al Seicento e sono vere opere d'arte. Qui, più che altrove, si può ancora capire il senso della colonizzazione dei Walser, la popolazione alemanna che dal Vallese (la valle del Rodano) attraversò i colli attorno al Monte Rosa e scese su questo versante delle Alpi per abitare quei luoghi che in precedenza erano solo alpeggi stagionali.

La frazione Rabernardo è situata lungo lo scenografico tracciato (l'Alta Via dei Walser) che percorre la valle Vogna. Posta poco a monte di Sant'Antonio, il centro più importante della valle, è un antico insediamento. Qui, una tipica abitazione walser tardoseicentesca, acquistata dalla famiglia Locca nei primi anni Settanta del Novecento e mantenuta nei suoi aspetti originali e caratteristici,

L'insediamento walser di Rabernardo e una delle straordinarie emergenze architettoniche della val Vogna.

è diventata a partire dal 1987 uno dei musei walser delle Alpi più belli e filologicamente curati. Allestito da quello straordinario personaggio che è il cavalier Carlo Locca (che abbiamo già incontrato a Guardabosone), racconta della storia e delle tradizioni di queste genti. All'interno dell'antica abitazione sono conservati attrezzi da lavoro, suppellettili e costumi tradizionali. Entrandovi pare di fare un viaggio indietro nel tempo e per un attimo ci si cala nei panni di quei viaggiatori che nel secolo scorso «scoprivano le Alpi» e che trovavano ospitalità presso gli alpigiani.

La casa è costruita su quattro livelli e rappresenta ancora oggi un perfetto esempio di quella tipologia abitativa che a partire dal Cinquecento rinnovò le abitazioni originarie, rifunzionalizzandole. Il piano seminterrato accoglie una piccola cantina scavata nel terreno, mentre il pianoterra è caratterizzato dalla stalla e dallo spazio della famiglia, con la sua tipica stufa in pietra ollare annessa al vicino locale del focolare, dove avvenivano la lavorazione del latte e l'affumicatura delle carni.

All'interno della casa museo walser (foto Roberta Locca).
In basso, uno scorcio della borgata e costumi tradizionali walser (foto Roberta Locca).

Sempre qui è presente uno spazio per la stagionatura dei formaggi e, a fianco, un laboratorio dove, a scopo museale, sono stati raccolti gli strumenti del calzolaio. Al piano superiore sono presenti la sala della tessitura (con un telaio funzionante dei primi del Settecento) e una tipica camera da letto. Nel caratteristico letto ad alcova sono esposti anche alcuni mirabili costumi maschili e femminili del luogo. All'ultimo piano, il sottotetto è l'area della battitura dei cereali: oggi ospita anche un'importante collezione di attrezzi agricoli e di falegnameria, ma un tempo era adibito a fienile, granaio e alla lavorazione del legno.

Il museo è frutto dell'iniziativa della famiglia che ne è proprietaria ed è gestito in forma privata. Siccome si trova a circa 1500 metri di quota è aperto soprattutto in estate, ma su richiesta, contattando i proprietari, si possono concordare visite anche in altri periodi dell'anno.

Le fisarmoniche di Robilante

● IL MUSEO DELLA FISARMONICA, DELLA MUSICA E DELL'ARTE POPOLARE LOCALE

Dove: via Ghiglione, 7 (a fianco del municipio), Robilante (CN).
Accessibilità: aperto tutte le domeniche mattina di luglio, agosto e a Ferragosto dalle 10 alle 12; in occasione della festa patronale di Sant' Anna, aperture sabato 23 dalle 20.30 alle 23 e domenica 24 dalle 16 alle 19. Sempre possibili aperture su richiesta telefonando ad Alba 0171 789116, Renzo 347 7875025, Silvio 348 2484890, Comune di Robilante 0171 78101. Ingresso a offerta libera.

Robilante è un paese della montagna occitana in bassa val Vermenagna (quella di Limone e del colle di Tenda) ed è interessante per almeno tre buoni motivi. Innanzitutto per essere una delle aree nell'Italia del Nord dove sono ancora ballate dalla popolazione (giovani e giovanissimi compresi), in tutte le occasioni di festa, le danze tradizionali locali (soprattutto *curente* e *balet*), e dove pressoché ogni famiglia ha il proprio suonatore (o anche più di uno). Poi per essere l'unico luogo delle Alpi in cui gli antichi tetti di paglia hanno ancora un po' di vita e in cui la filiera della segale, nella sua complessità, non si è estinta del tutto. Infine, terzo motivo, per aver dato i natali ad alcuni straordinari personaggi che, pur nelle loro solide radici contadine, non mancavano di genialità.

Il museo della Fisarmonica è stato inaugurato nel 2005 e vuole guidare il visitatore in un breve viaggio nella storia e nelle caratteristiche di questo strumento, con l'intento d'incuriosire o, anche, d'incrementare l'incanto che da sempre lo accompagna. A questo intento si aggiunge poi quello di far conoscere due significativi personaggi robilantesi: Notou Sounadour (Giuseppe Vallauri, 1896-1984, suonatore ma soprattutto riparatore, accordatore e costruttore di fisarmoniche) e Jòrs de 'Snive (Giorgio Bertaina, 1902-1976, scultore che con il coltello ricavava dal legno suonatori e ballerini, ma anche carabinieri, animali e scene di vita quotidiana, per poi regalarli ad amici o a visitatori occasionali). Notou Sounadour fu grandissimo interprete della tradizione

Uno dei molti strumenti che si possono ammirare nel museo
e la ricostruzione del laboratorio artigianale di Giuseppe Vallauri.

musicale locale e si dice non lasciasse la fisarmonica (strumento di cui aveva imparato ogni segreto e di cui divenne valente costruttore) neppure per andare a messa. La sua abilità era conosciuta anche oltre frontiera, tant'è che spesso si assentava per lunghi periodi chiamato a compiere riparazioni. Scomparso nel 1984, ha lasciato una *curenta* che porta il suo nome e le fisarmoniche diatoniche che ha utilizzato o costruito. Che Robilante sia terreno fertile per suonatori popolari lo dimostra il fatto che ci abbia messo su casa Silvio Peron, uno

dei migliori suonatori di organetto piemontesi, animatore d'innumerevoli gruppi di musica occitana e del museo stesso.

Jòrs de 'Snive è stato invece uno straordinario artista popolare. Snive è la borgata del vallone Agnelli dove Giorgio Bertaina nacque e visse e dove concepì e realizzò le sue opere. Nelle interminabili giornate invernali oppure con le bestie al pascolo, ciocchi di legno e bastoni prendevano forma intagliati dal suo coltello per raccontare un mondo che adesso non è più e di cui Jòrs faceva parte. Difficile dire quanti pezzi abbia realizzato. Un centinaio sono stati individuati ma di molti altri si è persa traccia o sono custoditi con gelosia dai proprietari. Per valorizzare e far conoscere la sua opera, presso la biblioteca-centro di documentazione è stata allestita una prima sala del museo diffuso delle Opere di Jòrs de 'Snive, dove sono esposte copie (per ora 12) realizzate con grande maestria da Renato Allinio. Si è scelta la strada delle riproduzioni, peraltro fedelissime,

Giorgio Bertaina in una vecchia fotografia e alcune sue creazioni.

perché quasi tutti i lavori di Giorgio Bertaina sono di proprietà privata e quindi non disponibili se non per mostre temporanee.
Robilante si è arricchito da poco di due nuovi musei. Uno è il MUS.S.COM. (il museo del Suono e della Comunicazione), inaugurato nel 2017 in via Umberto I, 33, che accompagna il visitatore lungo un coinvolgente percorso dedicato ai mezzi di diffusione del suono e delle informazioni, all'evoluzione della comunicazione illustrata attraverso grammofoni d'epoca, radio di design, allestimenti e molto altro.
L'altro è il museo Ferroviario, realizzato dall'associazione Ferroclub Cuneese, allestito nei locali della stazione di Robilante e dedicato alle peculiarità e alle vicissitudini della ferrovia Cuneo-Nizza, che espone cimeli funzionanti, plastici dinamici (anche a misura di bambino) e rare fotografie d'epoca.

Per saperne di più: Silvio Peron, *Courente e balet. Il semitoun in val Vermenagna*, (2 CD + opuscolo), Felmay, Torino 2007.

Campomolino

● UNA CASA PER NARBONA

Dove: frazione Campomolino, Castelmagno (CN).
Accessibilità: possibile sempre, richiedendo, se necessario, le chiavi alla Bottega Occitana. Da Caraglio si risale la Valgrana sino alla prima borgata del Comune di Castelmagno. Si parcheggia nella piazza di fronte al municipio; *unacasapernarbona.tumblr.com.*

Narbona, in alta valle Grana, è uno di quegl'insediamenti dove le capacità di adattamento dell'uomo all'ambiente e alla morfologia del territorio si sono espresse nel modo più ingegnoso possibile. Per almeno tre secoli non più di trenta famiglie, tutte di cognome Arneodo, sono sopravvissute in questa remota valle strappando ai ripidi pendii ciò di che appagare le necessità quotidiane. Le case di pietra, arrampicate a un costolone per difendersi dalle slavine, ospitavano un centinaio di residenti, collegati al mondo esterno da un paio di sentieri tutt'altro che agevoli.

Campomolino, l'interno di *Una casa per Narbona*. In alto, la prima radio che giunse a Narbona e come si stanno rovinando le case del villaggio.

Questi rudi montanari, che nel loro isolamento avevano anche elaborato una specifica parlata, finirono per cedere all'inizio degli anni Settanta del secolo scorso: dopo una primavera molto nevosa e decine di valanghe, le ultime cinque famiglie si arresero e scesero a valle nell'autunno. Per qualche anno qualcuno tornò ancora, in estate, per piantare le patate, poi fu l'abbandono totale e la rovina. Si dice che il formaggio Castelmagno sia stato inventato quassù, perché le

famiglie, che spesso non possedevano più di una mucca, non avevano latte a sufficienza per caseificare dopo ogni mungitura. Difficile immaginare che da quei pendii si potesse ricavare più fieno dello stretto indispensabile per attraversare l'inverno. Narbona è stata abbandonata prima che arrivasse la strada perché irraggiungibile dalla modernità. Le case, per un po' di tempo, hanno continuato ad attendere i loro proprietari, come se l'assenza fosse solo temporanea, poi i tetti hanno iniziato a cedere e a cadere, gli intonaci a sgretolarsi e avventurarsi su per gli stretti viottoli fra rovine, ruderi e rovi è divenuto anche pericoloso. Il villaggio fantasma però non è stato dimenticato e continua a vivere nella memoria. Così è nata l'idea di *Una casa per Narbona*, con il contributo di molti soggetti, tra cui l'ecomuseo Terre del Castelmagno e l'Unione dei Comuni. Se era inimmaginabile tornare a Narbona, se ne poteva portare un po' a valle ricomponendone i frammenti, attraverso gli oggetti della quotidianità lasciati al loro oblio, in quella che poteva essere una casa-ti-

Una casa per Narbona: l'armadio con il corredo, la cucina, la camera da letto e la scuola chiusa nei primi anni Sessanta.

po. Così, nella parte alta di Campomolino, la borgata dove inizia il sentiero del Bial e nelle cui osterie i narbonesi si intrattenevano quando scendevano a valle, un'antica casa in pietra è stata recuperata e adattata per raccogliere i cimeli e i ricordi di quelli di lassù. Ecco allora che la cucina, la camera da letto e anche la piccola scuola sono tornate a essere visibili (come mostrano le immagini d'epoca, a Narbona, all'inizio degli anni Cinquanta, c'erano ancora la maestra e almeno una decina di bambini). E per trasportare gli arredi più ingombranti, si è fatto ricorso all'elicottero.

Per saperne di più: Renato Lombardo, *L'Arbouna la nosta. Narbona la nostra. Ciò che è stato*, Cuneo, Primalpe 2016.

Il Museo del Costume di Chianale

● LA TRADIZIONE DEL VESTIRE IN ALTA VAL VARAITA

Dove: chiesa sconsacrata dei Cappuccini, frazione Chianale, 7, Pontechianale (CN).
Accessibilità: a giugno e a settembre il sabato e la domenica dalle 15 alle 18; in luglio e in agosto tutti i giorni dalle 15 alle 18, chiuso il martedì. Per visite fuori orario, cell. 347 8999198. Chianale è l'ultimo paese delle valle Varaita, sulla strada che conduce al colle dell'Agnello; *www.museodelcostumechianale.it.*

Un museo che non ti aspetti, un allestimento moderno per raccontare del vestire e, in particolare, del vestire femminile in quella comunità dell'alta val Varaita, la Castellata, che fece parte sino al 1713 della repubblica transalpina degli Escartons.

Inaugurato nel mese di settembre del 2008, a conclusione di lunghi lavori di ristrutturazione e riadattamento, è ospitato a Chianale in quelli che erano il refettorio e l'antica chiesa dei Cappuccinii, i frati inviati in valle nei primi decenni del Seicento per contrastare la diffusione dell'eresia protestante che a quel tempo insidiava la Chiesa cattolica in questa terra di confine. Terminato il loro compito, i religiosi lasciarono il paese per luoghi meno inospitali.
Il museo custodisce e offre una ricca documentazione sui costumi della valle, in particolare di Bellino, Pontechianale e Casteldefino, e sui prodotti dell'artigianato tessile in lana e canapa. L'abito tradizionale delle donne, abbandonato nell'uso quotidiano dalle ultime anziane all'inizio degli anni Settanta del secolo scorso, costituisce in questi tre paesi un apparato complesso, che fa riferimento a una precisa area territoriale ed è espressione di un'altrettanto definita unità culturale.

L'ingresso del museo nella ex scuola dei Cappuccini e un costume maschile (foto Associazione San Lorenzo).

L'interno del museo e costumi femminili (foto Associazione San Lorenzo).

Pur avendo connotati in comune con il resto della valle evidenzia infatti peculiarità e caratteristiche originali. Il tessuto di base era il *drap*, un panno di lana che veniva apposta infeltrito con la battitura in apposite gualchiere, i *parour*, dove un congegno idraulico azionava un albero a camme a cui erano collegati dei magli di legno. È l'abito, spiegano i curatori, che in questo territorio è stato fino a tempi recenti lo strumento più efficace per esprimere lo *status* della donna nei suoi molteplici aspetti (la posizione sociale e familiare, l'età, un eventuale lutto...) declinato anche in riferimento al calendario (i giorni di lavoro e le feste, il Carnevale e la Quaresima...).

L'abito femminile era confezionato in pesante panno scuro (ma sono esistiti in passato anche abiti rossi, verdi, blu) ed era originale nel taglio: tre grandi pieghe scendono dalle spalle fino all'orlo e gli donano una certa austerità, differenziandolo dagli altri costumi della valle. Nella media valle, infatti, l'abito si presenta tagliato in vita e realizzato in due parti distinte. Il nero, come detto, non è sempre stato il suo colore tipico ma diventò prevalente, se non esclusivo, a partire dall'Ottocento, quando il nero divenne di moda anche tra le famiglie abbienti di città.

Come fa notare il compianto Sergio Ottonelli, «nella rappresentazione mentale di quest'abito, la sua antichità ha un ruolo importante perché «lo si indossa da sempre» o almeno «da epoche remotissime», in ciò rimuovendo quello che invece è stato un continuo divenire. Pur incentrato sull'abbigliamento femminile,

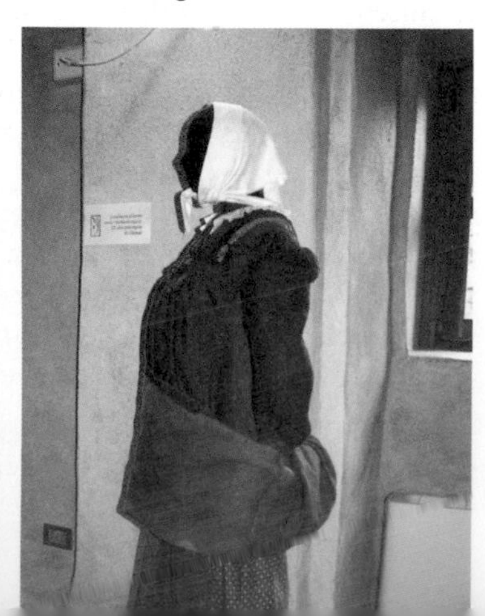

La vetrina delle cuffie; a sinistra, uno scialle dai meravigliosi colori e altri costumi femminili (foto Associazione San Lorenzo).

il museo non dimentica quello maschile. Per gli uomini il costume era un adattamento alle necessità lavorative, imprescindibili dall'emigrazione stagionale. L'abito maschile era quindi definito in forme meno rigide, per meglio adeguarsi ai contesti in cui si trovava a operare chi lo indossava. Originali sono le giacche lavorate ai ferri e abbellite sul davanti da guarniture, anche queste spesso infeltrite. Tra gli accessori sono splendidi i nastri, i foulard e i grembiali in seta dai meravigliosi colori, e non mancano le curiosità, come le cuffie che portavano sia le bambine sia i bambini, con la differenza che quelle femminili avevano la calotta in tre parti, quelle maschili in sei. Per quel che riguarda le calzature, gli *skufun* erano scarpe realizzate in casa, con ritagli di *drap* e cuoio.
Il museo non è visitabile nei mesi freddi perché l'allestimento viene smontato. La seta è un materiale fragile, sensibile alle rigide temperature invernali e i locali del museo, per motivi economici, non possono essere riscaldati. Benché nessuno li indossi più abitualmente, i costumi locali possono ancora essere ammirati, oltre che in questa straordinaria sede (capace davvero di stupire), in particolari occasioni come il 10 di agosto, a San Lorenzo, il giorno della festa del paese. Infatti, se il museo ospita oggi molti capi di vestiario (e non tutti sono esposti), molti altri sono ancora custoditi e tramandati all'interno delle famiglie originarie del borgo.

Per saperne di più: Sergio Ottonelli (a cura di), *Froli e sanchét. Il costume femminile in alta valle Varaita*, L'Artistica, Savigliano 2015.